SAINT-PÉTERSBOURG

et ses environs

Editions d'art Alfa-Colour

Saint-Pétersbourg

2003

Textes : MARGARITA ALBEDIL
Traduit du russe par NATHALIA MOULTATOULI
Présentation : VITALY VIAZOVSKI

Photographies : VALENTIN BARANOVSKI,
LEONID BOGDANOV, DARIA BOBROVA,
GRIGORI CHABOLOVSKI, VLADIMIR DAVYDOV,
PAVEL DEMIDOV, VLADIMIR DENISSOV, PAVEL IVANOV,
ALEXANDRE KACHNITSKI, SERGUEÏ KOMPANITCHENKO,
LEONARD HEÏFETS, ROMUALD KIRILLOV, VLADIMIR
MELNIKOV, YOURI MOLODKOVETS, VIKTOR SAVIK,
EVGUENI SINIAVER, OLEG TROUBSKI

Rédaction et correction : IRINA DOUBROVSKAÏA

Mise en pages : IRINA SEROVA

Correction des couleurs : TATIANA KRAKOVSKAÏA,
PIOTR KRAKOVSKI

Coordination : NINA GRICHINA

ISBN 5-900959-59-7

Pierre le Grand occupe une place à part dans l'histoire de la Russie. Son époque qui s'étend depuis la fin du XVIIᵉ siècle jusqu'au premier quart du XVIIIᵉ, est celle des grandes réussites et de la gloire militaire. C'est également l'époque de l'entrée de la Russie dans la communauté européenne. Pierre le Grand, avec sa volonté de fer, explora les recoins les plus éloignés du pays, modifiant radicalement toute son existence. L'empereur bâtissait la nouvelle Russie comme on construisait un navire, mesurant, calculant, aboutant tous les éléments. On lui doit la réorganisation du système administratif du pays, la réforme cardinale de l'Eglise, la fondation de l'Académie des sciences et de la Kunstkammer, le premier musée en Russie. Mais aussi la construction d'innombrables fabriques et usines, le perfectionnement du système fiscal, le développement de l'agriculture et de l'horticulture, le percement de nouvelles routes, l'encouragement du commerce et la réforme de la poste. On ne pourrait imaginer notre vie sans certaines de ses innovations. C'est grâce à Pierre le Grand que janvier est le premier mois de l'année dans le calendrier actuel. C'est depuis son règne également que la chronologie débute avec la naissance du Christ. La langue russe moderne est née grâce aux efforts de Pierre, et les livres sont imprimés avec des

Pierre Iᵉʳ. Miniature laquée. XVIIIᵉ siècle

caractères introduits par l'empereur. C'est pendant son règne que les Russes se sont mis à lire les journaux, c'est alors qu'ont apparu les premières écoles et les premiers livres laïcs, les premières bibliothèques municipales et les premières galeries de peintures. Industrie vinicole, pharmacies, hôpitaux, médicaments sont autant de monuments au zèle infatigable de Pierre le Grand. « La Russie est entrée en Europe comme on met un bateau à l'eau, aux coups des haches et aux sons des salves », écrivait le poète Alexandre Pouchkine. Saint-Pétersbourg – la « fenêtre sur l'Europe » — fut la scène où se déroula l'européanisation de la Russie.

Pierre Iᵉʳ, par Valentin Serov. 1907

Panorama de la Néva depuis l'Amirauté et l'Académie des sciences.
Gravure de E. Vinogradov d'après un dessin de Mikhaïl Makhaïev. 1749

u temps de Pierre le Grand, il y a trois cents ans, personne ne pouvait même imaginer le brillant avenir qui attendait la nouvelle capitale construite sur les « rivages marécageux, couverts de mousse » de la Néva. Depuis les temps les plus reculés ces terres, appelées alors Inguermanlandia et peuplées de Finnois, Suédois et Ijores, avaient fait partie de la principauté de Novgorod, mais après la signature de la paix de Stolbov en 1617, elles avaient été rattachées à la Suède. C'est ainsi que la Moscovie se trouva coupée de la mer Baltique. Il était évident que tôt ou tard une guerre devait commencer. Cette guerre, connue dans l'histoire de la Russie comme la guerre du Nord, éclata au début du XVIIIe siècle. Les rives de la Néva se trouvèrent à l'épicentre des événements. C'est à cette époque tumultueuse que nous devons la naissance, aux sons des canons, de la nouvelle capitale de la Russie réformée.

Les événements se succèdent avec rapidité. Le Ier mai, la forteresse de Nyenschanz située sur la rive droite de la Néva, se rend aux armée russes, mais les escadres suédoises ne s'avouent pas vaincues. Afin de défendre le delta de la Néva le tsar fait construire une forteresse. Pour cela, il choisit une petite île que les Finnois appellent *Enissaari* (île des Lièvres) et les Suédois *Mooiste Lust Eiland* (île de la Joie). Cette île est située à l'endroit où la Néva se ramifie en deux bras et atteint sa largeur maximale. Les travaux commencent le 16 mai 1703 : les bancs de sable sont élevés, des pilotis enfoncés, les premiers bastions en terre construits. En juin 1703, on pose la première pierre d'une petite église en bois consacrée aux apôtres Pierre et Paul, l'aïeule de la cathédrale actuelle. En même temps, la forteresse reçoit son nom : Sankt-Pieter-Burgh. Sous la protection de ses murs et des canons, le quartier attenant – l'île des Bouleaux (aujourd'hui quartier de Petrograd) – commence peu à peu à se construire.

Le tsar lui-même se fait élever un palais — le « palais Rouge » ou le « Premier Palais » — connue aujourd'hui comme la Maisonnette de Pierre le Grand. Elle existe toujours, quai Petrovski. Bientôt un pont va apparaître dans le voisinage, puis une galerie marchande puis encore un débarcadère où, en cette même année 1703, va accoster le premier bateau marchand. C'est ainsi qu'en pleine guerre voit le jour cette superbe ville-forteresse, cette ville-port qui va devenir l'une des plus brillantes cités non seulement de la Russie mais aussi du monde entier. Elle prendra le nom de la forteresse et sera l'incarnation même des réformes de Pierre le Grand. Au début, elle se développe chaotiquement, au gré des circonstances, des opérations militaires. Mais la bataille de Poltava, le 27 juin 1709, où les Suédois essuient une défaite écrasante, marque un tournant décisif dans son histoire. Selon Pierre lui-même, le terrain mouvant de Saint-Pétersbourg était dorénavant « renforcé par une pierre solide ». En 1712, un autre événement important marquera son histoire : l'installation de la famille du tsar à Saint-Pétersbourg qui sera suivie de celle des collèges ministériels et de toute la cour. Et même s'il n'y aura jamais d'édit particulier faisant de Saint-Pétersbourg la capitale de la Russie, la ville se développera comme telle dès le début. Le tsar construit son « paradis » avec fougue et passion. Il invite des architectes de Hollande, de France, d'Allemagne. Son idéal, c'est Amsterdam, avec sa régularité et son caractère affairé. Pierre avait été enchanté par cette ville pendant son séjour à l'étranger. Saint-Pétersbourg sera une ville en pierre, elle devra remplacer Moscou en bois et, Roma Nova, se couvrir de gloire comme la Rome ancienne. Voilà pourquoi Pierre lui choisit des armoiries rappelant celles du Vatican.

Pierre Ier meurt en 1725. Saint-Pétersbourg était déjà l'une des plus grandes villes du pays avec une population énorme : un huitième de la population urbaine totale de Russie. Après la mort de l'empereur, le sort semble se jouer du trône,

Catherine II, par Stefano Torelli. 1762

pétersbourgeois : Domenico Trezzini, Jean-Baptiste Leblond, Giacomo Fontana, Georg Mattarnovy, dont les noms sont liés au style dit « baroque pétrovien ». Celui-ci se trouve remplacé aux années 1740–1760 par le baroque proprement dit, dont Bartolomeo Francesco Rastrelli fut le maître incontestable. Le talent de cet architecte d'origine italienne se développa sous le règne de l'impératrice Elisabeth, la fille de Pierre le Grand, qui fut marqué par un tourbillon de fêtes se déroulant dans les splendides palais nouveau-nés. Le plus impressionnant de ces bâtiments – le fameux palais d'Hiver – décore de nos jours encore le centre de la ville.

Néanmoins les changements les plus radicaux survenus aussi bien dans le style architectural que dans l'existence même de la capitale et dans la vie politique sont liés à l'arrivée au pouvoir de Catherine II. Antonio Rinaldi, Jean-Baptiste Vallin de La Mothe, Alexandre Kokorinov et Youri Velten œuvrent au tournant de l'époque, mais bientôt ils seront devancés par des architectes ayant choisi le style classique : Ivan Starov, Charles Cameron, Giacomo Quarenghi… C'est une véritable de fièvre de construction. Les bâtiments s'élèvent à Saint-Pétersbourg, dans ses environs : Peterhof, Tsarskoïé Selo, Oranienbaum, Gatchina. Toutes ces résidence, tel un collier de perles, entouraient la capitale encore à l'époque de Pierre le Grand, mais maintenant elles deviennent somptueuses. L'architecture est appelée à personnifier sur les rives de la Néva la fusion « des capacités étatiques de Pierre et de l'intelligence de Catherine ». C'est alors que la jeune capitale acquiert son air incomparable, sa régularité, son élégance qui de tous temps ont fait sa gloire.

y faisant monter tantôt un jeune garçon, tantôt un nouveau-né ou encore une femme. Saint-Pétersbourg change lui aussi. Conçue en tant que forteresse, port et chantier naval, c'est maintenant une splendide ville où s'élèvent de magnifiques palais. Des architectes de talent ont construit des bâtiments majestueux et réguliers dans les quartiers du centre. Se distinguaient surtout ceux qui étaient dus à Piotr Eropkine, Mikhaï Zemtsov et Ivan Korobov. Ces architectes surent assimiler et développer les traditions des premiers architectes

Parc Catherine. Pont de Marbre
Seconde moitié du XVIIIᵉ secle. Aquarelle, par G. Sergueïev

u XIXᵉ siècle, Saint-Pétersbourg incarne le rêve de Pierre le Grand de « s'affirmer solidement sur la mer ». Le petit-fils de la Grande Catherine, Alexandre Iᵉʳ, accède au trône au début du siècle et continue l'œuvre de sa grand-mère. Sous l'impulsion des idées du classicisme, les architectes créent des ensembles étonnants tels que l'Europe n'en avaient encore jamais vus. Parmi ces ensembles se distingue celui de la Pointe de l'île Vassilievski qui fut commencé par Giacomo Quarenghi et terminé par Jean-François Thomas de Thomon. Mais c'est certainement Carlo Rossi qui est le maître le plus réputé de cette époque. En très peu de temps, il constelle la ville de remarquables places dont celle du Palais. C'est également à cette époque qu'Adrian Zakharov reconstruit l'Amirauté, transforme l'ancien glacis en large boulevard qui devient le lieu de promenade préféré des Pétersbourgeois, qu'Andreï Voronikhine érige la cathédrale Notre-Dame-de-Kazan avec, devant, une magnifique place qui embellit encore plus la perspective Nevski.

Vers le milieu du XIXᵉ siècle, la Russie se range au rang des plus grands pays européens, ceci surtout après sa victoire sur Napoléon en 1812. Saint-Pétersbourg n'est pas seule-

ment une grande ville qui « des sombres forêts et des terres marécageuses s'éleva, fière et somptueuse ». Saint-Pétersbourg signifie beaucoup plus : elle émerveille le voyageur, elle l'enchante par sa splendeur, le stupéfait par son développement d'une rapidité aussi fulgurante. Avec ses palais et ses flèches d'or, ses quais de granit, ses élégants ponts enjambant les innombrables cours d'eau, ses jardins et ses parcs, c'était une ville sans pareille dans le monde entier. Saint-Pétersbourg se développait d'après ses propres lois et les influences étrangères ne firent que s'inscrire organiquement dans les traditions urbanistiques russes.

Les monuments de triomphe qui naissent dans la capitale témoignent de « la vaillance, des exploits, de la gloire » de la Russie. Saint-Pétersbourg acquiert une allure impériale. Les édifices majestueux de Vassili Stassov, d'Avraam Melnikov ainsi que d'autres architectes la rendent encore plus somptueuse et raffinée. Les trente années du règne de Nicolas Iᵉʳ sont marquées de l'apparition de véritables chefs-d'œuvre telles la cathédrale Saint-Isaac ou la colonne Alexandre d'Auguste de Montferrand.

A partir du milieu du XIXᵉ siècle, le capitalisme s'affirme de plus en plus en Russie, ce qui marque profondément le visage de Saint-Pétersbourg. La régularité majestueuse du néo-classicisme est maintenant souvent altérée, les rues devien-

La perspective Nevski. Par V. Sadovnikov. Années 1840

Palais d'Hiver. Inauguration de la Douma, le premier Parlement russe, le 27 avril 1906

nent plus bigarrées, plus éclectiques, marient des traits de styles différents. Les édifices combinent des formes et des éléments d'époques passées. A l'instar des autres arts, l'architecture se passionne pour les idées du romantisme et l'intérêt de l'âme. Et en même temps, pour l'esprit pratique.

Les immeubles de rapport poussent comme des champignons. L'architecture se métamorphose, devient, selon Nicolas Gogol, « capricieuse » : elle s'inspire tantôt de motifs égyptiens et de chinoiseries, tantôt d'éléments néo-gothiques. Parmi les styles les plus à la mode figurent les styles russe et byzantin. Alexandre Brullov est parmi les premiers à styliser les formes, mais c'est Andreï Stackenschneider qui sera particulièrement populaire. On lui doit de superbes palais : les palais Marie, Belosselski-Belozerski, Nicolas, Novomikhaïlovski . La construction du premier pont permanent sur la Néva – le pont Nicolas (aujourd'hui pont du Lieutenant-Schmidt) – est un autre événement de première importance. La seconde moitié du XIXe siècle voit la fondation du théâtre Mariinski et du musée Russe. Au tournant du siècle, la ville est en plein boum. Elle se construit fébrilement mais surtout en dehors des quartiers du centre qui restent intacts. Des bâtiments à destination nouvelle apparaissent : gares, marchés couverts, usines. L'Art Nouveau, avec ses lignes capricieuses et raffinées, est le dernier grand style du siècle agonisant. Feodor Lidval est l'un de ses représentants les plus réputés.

Les premiers bâtiments Arts Nouveau apparurent à Saint-Pétersbourg aux années 1900, attirant immédiatement l'attention générale. C'est précisément à Saint-Pétersbourg

Nicolas II, par N. Kouznetsov. 1915–1916

que l'on peut voir les meilleurs échantillons du *Modern Style* nordique. La diversité de ce style se manifesta dans un grand nombre de bâtiments tels la Maison du Livre (par Pavel Suzor), l'hôtel Kchessinskaïa (par Alexandre von Gauguin) ou encore le Musée Souvorov, l'Ecole navale Nakhimov, la gare de Tsarskoïé Selo... On construisait également de grands immeubles de 6-7 étages dans le nouveau style.

Après la révolution, la ville continua à se développer, toutefois différemment. L'architecture des années 1920–1930, le constructivisme, faisait écho à l'organisation rationnelle de la vie, alors en vogue. Les nouveaux quartiers différaient du centre-ville. Des rangées de bâtiments uniformes formaient des lignes parallèles. Aujourd'hui, lorsque la Russie a retrouvé sa liberté, on s'est mis à construire des immeubles plus réjouissants, aux appartements plus spacieux et confortables.

La perspective Nevski en 1900. Photographie

Au début du XXᵉ siècle, le « brillant Saint-Pétersbourg » est une capitale splendide. Il doit surtout sa gloire aux innombrables palais mais ses innombrables musées, théâtres, salles de concert ainsi que ses églises et cathédrales sont tout aussi dignes. En février 1903, la Russie fête avec pompe le tricentenaire de l'avènement des Romanov au trône. Quatre ans après, la révolution renverse le pouvoir autocratique. Quelques années auparavant, le 9 janvier 1905, un événement tragique avait bouleversé l'existence de la ville : le « dimanche sanglant », qui inaugura la première révolution russe. Poussé par les circonstances, Nicolas II signa en décembre de la même année l'institution de la Douma, le premier parlement en Russie, et en reçut les députés en avril 1906, au palais d'Hiver, dans la salle du Trône. La Douma siégeait dans le palais de Tauride qui se transforma bientôt en scène des événements révolutionnaires. La Première Guerre mondiale fut une grande épreuve pour Saint-Pétersbourg. Elle sera suivie en février 1917 de l'abdication du tsar, puis de la révolution socialiste d'octobre qui entraîna une terrible guerre civile. Saint-Pétersbourg se trouva à l'épicentre des événements. C'est à l'hôtel Kchessinskaïa, au Smolny, dans les rues et sur les places de la ville que le sort de la Russie allait se décider.

En 1918, le jeune gouvernement soviétique décide de retransférer la capitale à Moscou. C'est ainsi que se termine le règne de deux cent six ans de Saint-Pétersbourg. L'architecture reflète, telle une chronique sur pierre, tous ces changements. Le début du XXᵉ siècle voit triompher le classicisme, puis le constructivisme, remplacé à son tour par d'autres styles qui se succèdent formant des couches superposées.

Mais c'est certainement la Seconde Guerre mondiale (1941–1945) qui est la plus grande épreuve de Saint-Pétersbourg : encerclée, la ville subit un blocus de 900 jours. 900 jours ses habitants doivent résister au froid, à la faim, aux bombardements incessants de l'aviation allemande. La ville résiste et sort victorieuse. Maintenant il s'agissait de panser les blessures et de faire renaître la ville de ses cendres : reconstruire palais, églises et maisons d'habitation. Malheureusement, un grand nombre d'édifices, dont le musée de l'Ermitage, le Musée russe, beaucoup de palais et d'hôtels particuliers furent endommagés (et certains même détruits) sous les obus et les bombes. L'exploit de Leningrad fut récompensé : le Iᵉʳ mai 1945, il reçut le titre de ville-héros. Au XXᵉ siècle, la ville change plusieurs fois de noms. En 1914, au début de la Première Guerre mondiale, elle prend le nom de Petrograd ; en 1924, après la mort de Lénine, celui de Léningrad. Ce n'est qu'en 1991 qu'elle reprendra son nom d'origine : Saint-Pétersbourg.

aint-Pétersbourg s'apprête à fêter son tricentenaire. Au cours de son existence, la ville a connu le triomphe et la majesté impériale, le drame des guerres et des révolutions. « Ville en granit de gloire et de victoires » selon Anna Akhmatova, elle occupe une place à part en Russie. Symbole de la culture et de la science, c'est aussi l'âme du pays. Saint-Pétersbourg est une grande ville à grand destin. Ville impériale, ville sévère et orgueilleuse, elle diffuse pourtant beaucoup de chaleur humaine. Ville fantastique d'après Feodor Dostoïevski, toute enveloppée de brouillards, elle semble planer au-dessus de ses innombrables cours d'eau, prête à disparaître à tout moment. Saint-Pétersbourg scrute l'horizon avec assurance, le passé souligne la grandeur du présent.

On vient à Saint-Pétersbourg non seulement pour traiter des affaires et rendre visite aux amis. On y revient également poussé par un sentiment nostalgique. La ville-musée ne laisse personne indifférent, elle ensorcelle par la magie de ses rues harmonieuses, ses places majestueuses, son coloris de nature septentrionale pâle mais charmant, par l'aura imperceptible qui s'en dégage et aussi par son destin tragique et en même temps glorieux. En effet, peu de villes au monde peuvent se vanter d'avoir vu le jour d'un seul coup, de la volonté d'un homme, et non pas se développer longuement à partir d'une bourgade insignifiante.

L'architecture raffinée et variée de Saint-Pétersbourg, ses quais de granit, le cours majestueux de la Néva déterminent le caractère unique de la ville. Elle est belle à n'importe quel moment de l'année : sous la pluie, pendant la période magique des nuits blanches, en automne avec ses couleurs d'or, pendant le froid et l'humidité de l'hiver baltique ou les tempêtes de neige du début du printemps. On dit que Saint-Pétersbourg est la ville des poètes. Mais la ville elle-même est un véritable poème, un poème avec des strophes austères et des rythmes qui se gravent profondément dans la mémoire. Son panorama, ses silhouettes, ses flèches et ses dômes, ses arcs et ses ponts, ses superbes grilles fermant les jardins, ses quais de granit réjouissent l'œil comme les plus belles poésies l'oreille. Et même si, en parlant de Saint-Pétersbourg, on évoque fréquemment Rome, Venise ou Palmyre, son visage reste tout de même unique et incomparable. Essayez de « causer » avec Saint-Pétersbourg, vous devinerez les secrets de son âme.

La forteresse Pierre-et-Paul à vol d'oiseau

Les places centrales

Saint-Pétersbourg charme par ses multiples substances. Au centre, la ville est constellée de splendides places qui forment un tout harmonieux, indissoluble avec l'étendue des eaux de la Néva et ses quais bordés de majestueux bâtiments en pierre. La place du Palais et, tout à côté, celle de l'Amirauté (aujourd'hui elle est constituée du bâtiment de l'Amirauté et du jardin Alexandre), les places des Décembristes, de Saint-Isaac et de la Bourse, le Champ-de-Mars décorent la capitale du Nord tel un précieux collier de perles.

Le paysage architectural de ces places s'est formé au cours de deux siècles. Elles constituent une unité indivisible, mais en même temps conserve chacune son propre visage. L'énorme et majestueuse place du Palais, œuvre de Carlo Rossi, évoque les ensembles de la Rome ancienne. Les bâtiments solennels et sévères qui la bordent ont été construits pour glorifier la puissance de l'Empire russe, ils servent de superbe cadre au palais d'Hiver, son élément principal. Celui-ci remonte à l'époque où la Russie ne faisait que ses premiers pas timides en Europe. L'arc de Triomphe qui relie les deux ailes de l'Etat-Major, ainsi que la colonne Alexandre, la plus grande colonne triomphale du monde, sont appelés à perpétuer les exploits de la Russie pendant la campagne contre Napoléon en 1812. C'est sur cette place de Saint-Pétersbourg que se déroulent les défilés militaires, les manifestations, les fêtes populaires.

Place du Palais. L'ange de la colonne Alexandre. 1834 Sculpteur Boris Orlovski

Façade ouest du palais d'Hiver vu depuis l'Amirauté.
Entrée Saltykov. 1754–1762. Architecte Bartomeo Francesco Rastrelli

*Vue sur le palais d'Hiver et l'Ermitage
depuis la Pointe de l'île Vassilievski*

Le palais d'Hiver autour duquel s'articule toute la place du Palais fut la résidence officielles des empereurs de Russie. Il est si grand que pour l'embrasser d'un seul regard, il est nécessaire de reculer jusqu'à la rive opposée de la Néva ou jusqu'à la Pointe de l'île Vassilievski. Dernier édifice monumental du style baroque, il a été construit « à la gloire de la Russie ». Le palais actuel est le cinquième. Le premier, tout petit, était en bois. Il fut construit en 1711–1712 d'après le projet de Domenico Trezzini, en face de la forteresse Pierre-et-Paul. Le deuxième, construit par Georg Mattarnovy le long de la rive est du Petit Canal d'Hiver, à l'endroit où s'élève aujourd'hui le Théâtre de l'Ermitage, vit le jour en 1716–1722. C'est ici que Pierre le Grand mourut le 28 janvier 1725. En 1726–1727, Domenico Trezzini réaménagea l'édifice, tout en l'agrandissant, pour Catherine Ire. En 1731–1735, Bartolomeo Francesco Rastrelli éleva un quatrième palais, qui, pour l'époque, était énorme. Mais même celui-ci s'avéra trop petit pour abriter la brillante cour de l'impératrice Elisabeth. Aussi, Rastrelli construisit-il, en 1754–1762, un cinquième bâtiment, celui que l'on voit aujourd'hui.

En 1767–1769, Jean-Baptiste Vallin de La Mothe construisit le « Pavillon de La Mothe », contigu au palais d'Hi-

ver. Quelques années plus tard, en 1770–1787, Youri Velten fit élever le Grand Ermitage. Cet ensemble de bâtiments s'alignant le long de la Néva et reliés par des galeries et des passages en forme d'arcs et de ponts couverts, fut parachevé par Giacomo Quarenghi avec l'édification du Théâtre de l'Ermitage.

Il a fallu donc environ deux siècles pour que le palais d'Hiver se développât en un énorme complexe comprenant locaux d'habitation, chapelles, bibliothèques, jardins, télégraphe, chancellerie et dépendances de toutes sortes : cuisines, écuries, manège, remises à carrosses, buanderies...

L'incendie de 1837 causa des dégats terribles ce qui entraîna sa reconstruction. Un an après, il devait renaître de ses cendres dans toute sa splendeur. Néanmoins le palais ful encore réaménagé plusieurs fois. A partir de 1922, le palais d'Hiver fait partie du musée de l'Ermitage.

Le palais d'Hiver est un ensemble architectural harmonieux, une véritable ville dans la ville. Sa façade, longue de deux cents mètres, délimite la place du Palais. L'imagination sans bornes de Rastrelli attribua à chacune des façades du palais, dont la principale est celle du sud, un aspect différent. L'architecte avait prévu une énorme place devant l'entrée d'honneur du palais, projet qui ne fut réalisé que beaucoup plus tard par Carlo Rossi.

*Palais d'Hiver
Escalier de Jourdain (des Ambassadeurs). 1762
Architecte Bartolomeo Francesco Rastrelli;
1838. Vassili Stassov*

près avoir emménager le palais d'Hiver en 1762, Catherine II donna l'ordre d'y aménager un « ermitage ». Lieux solitaires, petits pavillons perdus dans les parcs entourant les palais, les ermitages étaient très à la mode au XVIIIᵉ siècle. Dans son « Ermitage » à elle, l'impératrice fit installer les tableaux, les sculptures et quelques autres œuvres d'art qui se trouvaient alors en Russie. L'acquisition de 225 tableaux de maîtres occidentaux par Catherine II chez un négociant berlinois, en 1764, marqua un tournant décisif dans l'histoire des collections impériales. Dès lors, l'année 1764 sera considérée comme celle de la naissance du musée de l'Ermitage. A partir de cette époque, les acquisitions deviennent régulières.

L'une des plus remarquables acquisitions fut celle de la collection de Louis Antoine Crozat en 1772 par l'intermédiaire de Denis Diderot. Cette collection renfermait plus de 400 toiles de la plus haute qualité, dont des œuvres de Raphaël, Titien, Rembrandt. Aujourd'hui, l'Ermitage est un des plus grands musées du monde.

Au temps des tsars, les carrosses s'arrêtaient devant l'entrée d'honneur du palais. Au XVIIIᵉ siècle, cet escalier portait le nom d'Ambassadeurs. Plus tard, il prit le nom de Jourdain. Chaque année, le 6 janvier, le tsar l'empruntait pour descendre jusqu'à la Néva et bénir les eaux du fleuve, en mémoire du baptême du Christ dans le Jourdain. Les invités gravissaient les marches de l'escalier du Jourdain et se retrouvaient au palier du premier étage qui donnait naissance aux deux enfilades d'apparat du palais. Aujourd'hui, c'est l'entrée principale du musée.

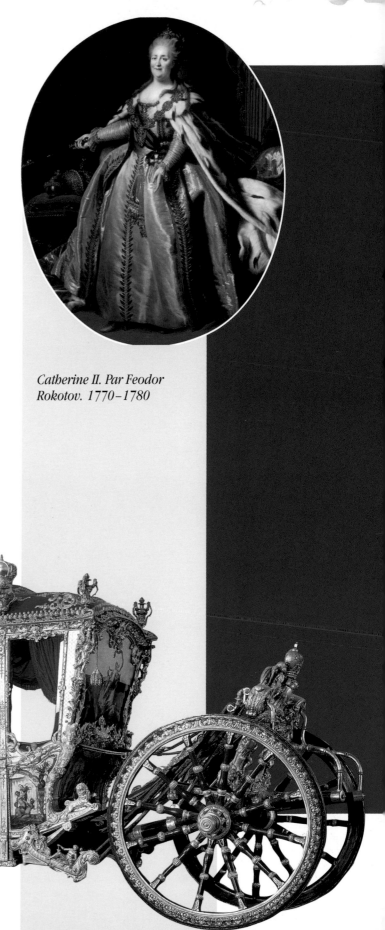

Catherine II. Par Feodor Rokotov. 1770–1780

Grand Carosse de couronnement France. Première moitié du XVIIIᵉ siècle

Musée de l'Ermitage. La salle du Trône. 1795 ; 1837–1842
Architectes Giacomo Quarenghi ; Vassili Stassov, Nikolaï Efimov

Musée de l'Ermitage. Le salon de Malachite. 1839. Architecte Alexandre Brullov

u début, seuls les invités de la famille impériale pouvaient admirer les œuvres d'art qui s'étaient accumulés au cours des années dans le palais d'Hiver. Avec la construction, en 1852, du Nouvel Ermitage – *le Museum Public* –, l'accès au musée était devenu plus ou moins libre. Après la révolution de 1917, l'Ermitage et le palais d'Hiver furent nationalisés et transformés en musée public. Aujourd'hui, chaque touriste peut admirer les salles d'apparat du palais où se déroulaient autrefois les « grandes sorties » des empereurs, les bals et les réceptions officielles.

Après avoir emménagé le palais d'Hiver, Catherine II voulut refaire les intérieurs dans le goût du néo-classicisme, en vogue à l'époque. Les travaux furent confiés à Giacomo Quarenghi. En 1795, celui-ci aménagea la salle du Trône (ou salle Saint-Georges), avec des colonnes et des murs revêtus de marbre de Carrare.

Le trône était surmonté d'un dais brodé d'armoiries représentant *Saint Georges terrassant le dragon* (d'où le nom de la salle), le protecteur de la Moscovie. Plus tard, on y installa un bas-relief en marbre sur le même thème. Fortement endommagée pendant l'incendie de 1837, la salle a été reconstituée par Vassili Stassov et Nikolaï Efimov qui en firent l'un des échantillons les plus remarquables du néo-classicisme russe. C'est ici que se déroulaient les réceptions officielles.

Le salon de Malachite produisait une impression inoubliable sur les invités. Son décor influença profondément l'aménagement des salons d'apparat au XIXᵉ siècle. Ce salon faisait autrefois partie des appartements particuliers de l'impératrice Alexandra Feodorovna, épouse de Nicolas Iᵉʳ et fille aînée du roi de Prusse Frédéric-Guillaume III. C'est ici, dans le salon de Malachite, qu'en octobre 1917 siégeait le gouvernement provisoire alors que le croiseur Aurore donnait le signal de départ de la révolution qui devait amener Lénine au pouvoir.

Dû à Auguste de Montferrand, le salon a été remanié après l'incendie de 1837 par Alexandre Brullov qui, comme élément principal du décor, utilisa la malachite, découverte récemment dans les monts d'Oural. Le revêtement des colonnes, des pilastres et des cheminées a été effectué dans la technique dite de « mosaïque russe ». Aujourd'hui, on peut voir dans le salon de nombreux objets en malachite de toutes sortes de dimensions : depuis de tout petits jusqu'à l'énorme vase en forme d'œuf.

*Musée de l'Ermitage. Salle commémorative Pierre-le-Grand. 1833 ; 1839
Architectes Auguste de Montferrand et Vassili Stassov*

a majorité des salles de l'Ermitage, dont le décor est dû aux plus grands architectes de Russie, sont elles-mêmes de véritables chefs-d'œuvre. L'une d'entre elles – la salle Pierre-le-Grand (ou la Petite Salle du Trône) — est consacrée à la mémoire de Pierre le Grand. Créée en 1833 par Auguste de Montferrand dans l'esprit du néo-classicisme, elle fut réaménagée après l'incendie par Vassili Stassov. Le décor reflète parfaitement sa destination : l'ornement des moulures, la peinture du plafond et la frise des murs sont parsemés de monogrammes de Pierre Ier, d'aigles bicéphales et de couronnes impériales.

Dans la partie supérieure des murs, des panneaux peints par Barnaba Medici et Pietro Scotti représentent les célèbres batailles de Poltava et de Lesnaïa, les deux grandes victoires de la Russsie pendant la guerre du Nord. Dans l'immense niche, deux colonnes corinthiennes en jaspe vert servent de cadre au tableau *Pierre Ier avec la déesse Minerve* du peintre italien Iacopo Amiconi. Sous le tableau, le trône impérial fabriqué en 1731 en Angleterre par Nicolas Clausen. La plupart des objets présentés dans cette salle, d'un goût parfait, sont dus à des artistes de Saint-Pétersbourg célèbres au XVIIIe siècle.

Le salon Doré n'est pas moins remarquable. Cette salle d'angle faisait autrefois partie des appartements privés de la grande-duchesse Maria Alexandrovna, épouse de l'héritier du trône, le futur Alexandre II. Toute ensoleillée, elle paraît spacieuse et raffinée. Son brillant décor dû à Alexandre Brullov fait écho au salon de Malachite (qui, au XIXe siècle, s'appelait également le salon Doré).

Les somptueux meubles baroques décorés de dorures ont été exécutés d'après les dessins d'Andreï Stackenschneider. Aujourd'hui, dans le salon Doré, on peut voir une des plus riches collections du monde de camées et d'intailles en sardoine, onyx, améthyste et autres pierres fines, qui furent exécutés par des maîtres européens. C'est à Catherine II, qui avait une véritable passion pour ce genre d'œuvres, que nous devons la plus grande partie de cette collection.

Musée de l'Ermitage. Le salon Doré. 1839. Architectes Alexandre Brullov et Vladimir Schreiber

Musée de l'Ermitage. La salle du Pavillon. 1850–1858. Architecte Andreï Stackenschneider
Dans cette salle rappelant celle de quelque pays oriental, on peut voir de superbes
échantillons de mosaïques italiennes et russes.

Pendule Le Paon. XVIIIe siècle. Par James Coxe
La pendule évoque un conte de fées. Le cadran est caché dans
le chapeau du champignon, le méchanisme se trouve à l'intérieur du monticule.

Musée de l'Ermitage. Salle Léonard de Vinci. 1805–1807 ; 1858
Architectes Giacomo Quarenghi et Andreï Stackenschneider

*L*e Département de l'art occidental est l'un des plus anciens et des plus riches de l'Ermitage. La future célèbre collection s'est formée à partir de tableaux de peintres européens. Parmi ces tableaux se distinguent ceux qui datent de la Renaissance. Les collections de Catherine II se répartissaient dans la salle du Vieil Ermitage qui clôturait l'enfilade créée par Youri Velten. Son riche décor ne coïncidait pas à sa destination et les tableaux étaient accrochés sans aucun système, uniquement dans le but de réjouir l'œil. La salle, telle que nous la voyons aujourd'hui, a été aménagée par Andreï Stackenschneider en 1858. Actuellement on peut y voir deux œuvres de Léonard de Vinci : *La Madone à la fleur* (*La Madone Benois*) et *La Madone à l'Enfant* (*La Madone Litta*). *La Madone à la fleur* est un tableau peint à l'huile, technique à l'époque encore peu utilisée en Italie.

Le génie de Léonard de Vinci se révéla dans la peinture mais aussi dans l'architecture, la sculpture, la science, la technique, la médecine, la philosophie. Son héritage artistique n'est pas grand. De plus, la majorité de ses œuvres ont été perdues, ce qui rend les deux tableaux de l'Ermitage particulièrement précieux.

Léonard de Vinci. La Madone à l'Enfant
(La Madone Litta). *Vers 1490*

Musée de l'Ermitage. Francisco de Zurbarán.
L'Adolescence de la Vierge. *Vers 1660*

*L*a galerie de peintures du musée de l'Ermitage est considérée comme la plus grande du monde. La collection, qui compte quelque 8 mille tableaux appartenant à différentes écoles et peintres européens depuis le moyen âge tardif jusqu'à nos jours, occupe une centaine de salles. La collection de l'art espagnol, particulièrement précieuse, est la plus complète au monde en dehors de l'Espagne. Elle est présentée par des œuvres des plus grands maîtres de la peinture espagnole : le Gréco, José de Ribera, Francisco de Zurbaran, Bartolomé Esteban Murillo, Diego Vélasquez, Francisco Goya. Les meilleures œuvres datent du XVIIᵉ siècle, âge d'or de la peinture espagnole.

La collection hollandaise est tout aussi remarquable. Elle est surtout riche en œuvres – tableaux et œuvres graphiques — de Rembrandt van Rijn (1606–1669). Les premières œuvres hollandaises apparurent à Saint-Pétersbourg encore du temps de Pierre Iᵉʳ, bien avant la fondation de l'Ermitage. Rembrandt figurait parmi les peintres préférés du tsar.

Le sujet du *Retour de l'enfant prodigue* attira les peintres de tout temps. Cependant pour la majorité d'entre eux, c'était une possibilité en plus de traiter une belle scène. Rembrandt, lui, revint sur ce thème tout au long de sa douloureuse carrière. Le tableau est le bilan de son expérience. Peint peu avant sa mort, il nous révèle les réflexions de Rembrandt sur la destinée de l'homme et sur sa vocation.

Rembrandt Harmensz. Van Rijn. Le Retour de l'Enfant prodigue. *1668–1669*

*E*n 1842–1851, l'architecte allemand Leo von Klenze éleva à côté du palais d'Hiver un édifice destiné à abriter un musée : le Nouvel Ermitage. Vu sa proximité du palais impérial, le bâtiment devait être somptueux. Klenze créa un musée modèle dans lequel les arts plastiques – peinture, sculpture et architecture – coexistaient dans toute la variété de leurs genres et formes. L'édifice majestueux fut conçu dans le style néogrec. Un portique monumental décoré de dix statues d'atlantes marque l'entrée du musée. Le rez-de-chaussée était destiné aux sculptures tandis que les salles du premier étage devaient abriter les tableaux. Afin d'obtenir un éclairage zénithal, particulièrement favorable aux grandes toiles des peintres espagnols et italiens qui devaient y être exposées, l'architecte aménagea trois énormes salles appelées Verrières. Les tableaux se détachent parfaitement sur le fond rouge foncé des murs, rehaussé par la dorure des motifs moulés qui recouvrent les voussures. Le premier étage étant destiné à la peinture, l'architecte installa, dans le but d'obtenir un éclairage zénithal, des verrières dans les trois plus grandes salles. Ces salles sont richement décorées : on peut y voir des vases et des tables en pierre fines, des meubles rehaussés de dorure – le tout fabriqué spécialement pour le musée. Mais même cette richesse ne peut masquer la splendeur des œuvres qui y sont exposées. Plus encore, les sièges ont été installés de façon que les visiteurs puissent les admirer tranquillement, avec tout le confort possible. Aujourd'hui, dans les trois Verrières on peut voir des tableaux italiens et espagnols des XVIIe et XVIIIe siècles. L'une des meilleures toiles de l'école vénitienne est *Judith* de Giorgione. Elle est consacrée à l'exploit décrit dans la Bible : Judith réussit à pénétrer secrètement dans le camp ennemi, séduit le chef assyrien Holopherne et, pendant la nuit, lui tranche la tête. Le lendemain, les Juifs suspendent la tête d'Holopherne aux murs de la ville. Les ennemis, terrifiés, essuyent une sanglante défaite et lèvent le siège. C'est ainsi que Judith sauva son peuple.

Giorgione se trouve à la source de la Haute Renaissance vénitienne. Il influença profondément les peintres de son époque et trouva sa continuation dans l'œuvre de Titien dont l'Ermitage possède quelques tableaux.

Giorgione. Judith. *Vers 1504*

Nouvel Ermitage. La Grande Verrière. Années 1840. Architecte Léo von Klenze

Auguste Rodin. L'Eternel Printemps. *Après 1884*
La collection Rodin de l'Ermitage compte 9 œuvres dont
les célèbres Roméo et Juliette, Amour et Psyché, La Pécheresse.

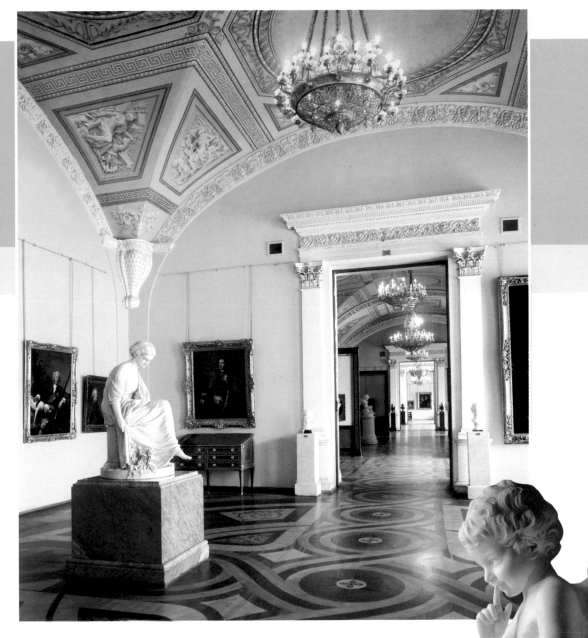

Salles de l'art français du XVIIIᵉ siècle

Par la quantité et la qualité des œuvres de la collection d'art français, l'Ermitage occupe la deuxième place au monde après le Louvre. C'est la plus importante partie du Département d'art européen.

On peut y voir quelques célèbres émaux de Limoges, des faïences, des gobelins et d'autres objets d'art appliqué, des peintures, des sculptures. On peut juger des goûts du XVIIIᵉ siècle d'après les œuvres d'Antoine Watteau, de François Boucher ainsi que d'après celles des sculpteurs Etienne Maurice Falconet et Jean Antoine Houdon. L'Ermitage possède en outre quelques œuvres d'Auguste Rodin, le dernier des grands maîtres du tournant du XIXᵉ siècle.

Etienne-Maurice Falconnet. L'Amour menaçant. 1758

Pablo Picasso. Guitare et violon. *1913*
La collection de l'un des fondateurs du cubisme, Pablo Picasso, compte quelque
40 œuvres de la plus haute qualité. Toutes se rapportent à la période précoce
du peintre et s'étendent sur les premières quinze années de son œuvre. La Buveuse
d'absinthe, L'Entrevue (Les Deux Sœurs) *peuvent être rangés parmi les meilleures.*

Les impressionnistes – Claude Monet, Auguste Renoir, Edgard Degas, Camille Pissarro — sont particulièrement bien présentés dans la collection française. La manière picturale de ces peintres témoigne d'une nouvelle perception du monde. C'est aux impressionnistes que l'on doit la découverte des côtés de la vie restés jusqu'alors absolument inaperçus par leurs prédécesseurs. Les impressionnistes s'adressèrent aux impressions fugitives, aux nuances les plus délicates du sentiment, à la beauté de l'instant, fixant leurs propres sensations et les moments éphémères de l'existence.

Henri Matisse est présenté à l'Ermitage par une quarantaine de toiles : natures mortes, panneaux décoratifs, portraits, scènes de genre. Ce célèbre représentant de l'art fauve affirmait que pour être authentique, l'œuvre ne devait pas être obligatoirement exacte. Henri Matisse avait une perception aigu du matériau, ressentait vivement le rapport entre le dessin et son format. Mais le principal pour lui, c'étaient les couleurs.

Kees Van Dongen. La Danseuse rouge. *1907*

Henri Matisse. La Danse. *1910*

Vincent Van Gogh
Chaumières. *1890*

◀ *Paul Gauguin.* Pastorales
tahitiennes. *1893*

Wassili Kandinsky. L'Hiver. *1909*

ans la pléiade des impressionnistes, Vincent Van Gogh et Paul Gauguin doivent être ranger à part. Les tableaux de Paul Gauguin présentés au musée de l'Ermitage se rapportent la période où, en 1891, le peintre, fatigué de la civilisation occidentale, part s'installer Tahiti. *Pastorales tahitiennes* est l'une de ses meilleures œuvres de l'époque. Le peintre aspirait à reproduire dans ses tableaux la vie de l'homme en accord avec celles des aniùaux et des plantes. Il accordait une grande place à la voix de la Terre.

La vie de Van Gogh est tout aussi mouvementée que celle de son ami Paul Gauguin. Parmi ses œuvres se trouvant l'Ermitage, *Les Chaumières* date de l'année de la mort de l'artiste. C'est une illustration de la dernière étape de sa vie. Passionné de l'art oriental, surtout de la gravure japonaise, il voyait le monde d'un « regard japonais ». Le côté naturel de Van Gogh découlait de sa sincérité, il aimait répéter que dans

l'art il occupait la même place que dans la vie. Sa méthode influença profondément l'art des expressionnistes européens. L'Ermitage possède en outre quelques œuvres de Wassily Kandinsky, le fondateur de l'art abstrait et l'un des plus grands maîtres du XXe siècle.

Il est impossible d'apprécier en une seule visite les œuvres d'art exposées à l'Ermitage. L'Ermitage est un musée où l'on revient souvent, où l'on aime se promener en admirant les richissimes collections qui s'y sont accumulées au cours des siècles. Tous les grands noms de la peinture, de la sculpture, des arts graphiques y sont présentés. Cependant, tout aussi remarquables sont les salles elles-mêmes. Créées par le génie de nombreux architectes, peintres, sculpteurs, doreurs aussi bien russes qu'étrangers, elles sont de véritables chefs-d'œuvre. Outre les expositions permanentes, le musée organise des expositions provisoires où sont présentées les œuvres constituant les fonds de l'Ermitage mais aussi les plus célèbres œuvres se trouvant l'étranger.

Le Nouvel Ermitage. Portique aux atlantes. 1848
Architecte Léo von Klenze, sculpteur Alexandre Terebeniev

L'Amirauté. Architecte Ivan Korobov. 1728–1735; Adrian Zakharov. 1806–1823

L'Amirauté est devenu le symbole de Saint-Pétersbourg. C'est en même temps un chef-d'œuvre architectural. Son « aiguille » (qui, comme on dit, « a cousu les siècles de l'histoire ») est visible de loin, et toutes les rues principales de la ville, notamment la perspective Nevski, partent de l'édifice en divergeant. Le bâtiment qu'on voit aujourd'hui est le troisième. La première Amirauté fut fondée par Pierre Ier comme forteresse et chantier naval pendant la guerre du Nord. Aux années 1730, Ivan Korobov la remania, puis en 1806–1823, elle fut reconstruite par Adrian Zakharov dans le style Empire. L'Amirauté donnent sur trois places : celle du Palais, celle de Saint-Isaac et celle des Décembristes, concourant à la formation de ces ensembles. Grâce à ses pavillons, arcs et sculptures, l'édifice paraît extrêmement varié.

Place Saint-Isaac. Statue équestre de Nicolas Ier. 1856–1859
Architecte Auguste de Montferrand, sculpteurs Piotr Clodt, Robert Saleman et Nikolaï Ramazanov

Place Saint-Isaac. Statue équestre de Nicolas Ier
et hôtel Astoria. 1908–1912. Architecte Feodor Lidval

S aint-Pétersbourg est célèbre pour ses monuments et ses sculptures. Au centre de la place Saint-Isaac se dresse la statue équestre de Nicolas Ier. Elle fut érigée en 1856–1859 par Piotr Clodt d'après le projet d'Auguste de Montferrand. Avec ses 6 mètres de hauteur, cette statue en bronze n'a que deux points d'appui, ce qui la rend remarquable. Le tsar en uniforme de la Garde semble caracoler devant ses régiments alignés. Le piédestal, divisé en plusieurs zones superposées, est en granit finlandais et en marbre de Carrare. Il est orné de hauts-reliefs en porphyre représentant des scènes de la vie de l'empereur. Aux angles, des allégories de la Sagesse, de la Force, de la Justice et de la Foi auxquelles le sculpteur a prêté les traits de l'impératrice et de ses trois filles. Les dimensions et sa silhouette sont si bien conçues que le monument s'intègre harmonieusement dans l'espace de la place.

L'ensemble de la place Saint-Isaac ne trouva son achèvement qu'au début du XXe siècle avec la construction de l'ambassade d'Allemagne (par l'architecte allemand Peter Behrens) et par celle de l'hôtel Astoria, par Feodor Lidval.

Maître incontesté du style Art Nouveau nordique, celui-ci sut marier nombre d'innovations aux traditions pétersbourgeoises. Cet édifice élégant associe des éléments Art Nouveau et des détails tout à fait classiques. Afin que le bâtiment, avec ses cinq étages et sa mansarde, gagne en légèreté, Feodor Lidval inséra dans la façade, au-dessus de l'avant-dernier étage, une corniche puissante, tandis que le pan coupé à l'angle inscrivait harmonieusement l'hôtel dans l'ensemble de la place et de la Grande-Rue-Maritime. Afin que le bâtiment, avec ses cinq étages et sa mansarde, gagne en légèreté, Feodor Lidval inséra dans la façade, au-dessus de l'avant-dernier étage, une corniche puissante, tandis que le pan coupé à l'angle inscrivait harmonieusement l'hôtel dans l'ensemble de la place et de la Grande Rue Maritime.

L'hôtel Astoria s'est ouvert en 1912. À l'époque, c'était l'hôtel le plus confortable à Saint-Pétersbourg et l'un des meilleurs en Europe. Situé en plein centre de la ville, non loin de la Néva, dans un endroit prestigieux, et en même temps tout près du quartier des affaires, il est entouré de splendides monuments. Tout le monde s'y plaît : et les touristes et les hommes d'affaires qui gardent un bon souvenir de leur séjour.

Cathédrale Saint-Isaac. La Résurrection du Christ. *Décor sculpté du fronton nord. 1842–1844. Sculpteur Philippe-Henri Lemaire*

S aint-Isaac est une cathédrale et en même temps un musée. On aperçoit de loin son dôme d'or. Du haut de l'édifice, une magnifique vue s'ouvre sur l'ensemble de Saint-Pétersbourg. Œuvre maîtresse d'Auguste de Montferrand, symbole de Saint-Pétersbourg, dominante des places centrales, la cathédrale clôture l'époque du néo-classicisme. La toute première église consacrée à saint Isaac le Dalmate était simple et en bois. Elle fut érigée en 1707 à côté de l'Amirauté. Par sa construction, Pierre Ier voulait perpétuer le jour de sa naissance, le 30 mai, jour de la Saint-Isaac. En 1717–1727, celle-ci fut remplacée par une autre église, en pierre, au bord de la Néva, près de l'endroit où se dresse aujourd'hui le *Cavalier d'airain*. La cathédrale de Montferrand remplaça la troisième église dont la construction fut commencée en 1768 par Antonio Rinaldi et terminée en 1802 par Vincenzo Brenna. Il a fallu quelque 40 ans, de 1818 à 1858, pour élever l'énorme édifice. Particulièrement impressionnante fut l'installation, en présence de la famille impériale, des colonnes des portiques. Il a fallu plus de 40 ans pour construire la cathédrale, de 1818 à 1858, avec des interruptions et nombre de modifications du projet initial. L'énorme édifice se dresse sur des pilotis goudronnés de 6,5 mètres de longueur, sur lesquels reposent les fondations en granit et en pierres. Les murs revêtus de marbre carélien ont été élevés après l'installation des colonnes des portiques. La cathédrale est décorée de sculptures profuses.

La cathédrale Saint-Isaac en échafaudages. 1845 Lithographie d'après un dessin d'Auguste de Montferrand

Cathédrale Saint-Isaac. 1818–1858. Architecte Auguste de Montferrand, sculpteur Ivan Vitali

Cathédrale Saint-Isaac. Nef centrale. Iconostase du maître-autel
Peintures par Timoléon von Neff, Feodor Brullov, Semion Jivago et autres ; sculptures par Piotr Clodt

Cathédrale Saint-Isaac. Peinture du tambour de la coupole principale. Par Karl Brullov
Sculptures d'anges. Par Ivan Vitali, Robert Saleman et Alexandre Beliaïev

Un contemporain écrivait que « le décor extérieur de la cathédrale en harmonie avec son décor intérieur, l'élégance et la beauté de tout l'ensemble et de chaque détail en particulier, la splendeur et en même temps la simplicité font de Saint-Isaac l'un des édifices les plus remarquables du monde ». Plus de 40 variétés de pierres fines (malachite, lapis-lazuli, porphyre, jaspe, marbres différents) ont été utilisées dans le décor intérieur. Les nombreuses peintures et mosaïques sont dues aux plus grands peintres (Karl Brullov, Feodor Bruni, Piotr Bassine, Vassili Chebouïev) et sculpteurs (Ivan Vitali, Nikolaï Pimenov, Piotr Clodt) de Russie. La superficie totale des panneaux en mosaïque est d'environ 600 m^2. Peintures, mosaïques, sculptures, combinaisons de pierres fines et de dorures, ornements et détails alambiqués créent une richissime gamme de couleurs que l'on perçoit difficilement comme un tout unique. Pour apprécier les détails et leur perfection, il est préférable de les observer séparément.

Mais c'est l'iconostase du maître-autel qui impressionne le plus. Décorée de colonnes en malachite et lapis-lazuli, elle est constituée par des icônes en mosaïque représentant les saints homonymes des tsars qui ont pris part à la construction des quatre églises consacrées à saint Isaac le Dalmate, les saints patrons de la famille impériale ainsi que les prophètes de l'Ancien Testament. Au-dessus de la Porte Royale, on remarquera un groupe sculpté – *le Christ en Gloire* – surmonté d'une icône en mosaïque représentant *la Cène*, inspirée de la célèbre fresque de Léonard de Vinci. L'énorme vitrail (d'une surface de 30 m^2) monté dans la baie du maître-autel est l'un des rares exemples de l'influence catholique en Russie.

Le dôme de la cathédrale est énorme, mais il paraît léger et gracieux grâce à sa construction comprenant trois coupoles superposées. On n'en trouve pas beaucoup de ce genre en Russie et même en Europe. La cathédrale principale de Saint-Pétersbourg est également la plus vaste : 14 mille fidèles peuvent y prier en même temps.

*Vue sur la Néva avec la place des Décembristes et la statue équestre de Pierre le Grand,
l'Académie des sciences, la Kunstkammer et la forteresse Pierre-et-Paul*

*L*a place des Décembristes (autrefois place du Sénat) reçut cette appellation en 1925 en l'honneur des nobles qui se révoltèrent en 1825 contre le pouvoir tsariste et le servage. Du côté de l'est, elle est bordée de l'aile ouest de l'Amirauté, du côté de l'ouest – du Sénat et du Saint-Synode. Dans l'Empire fondé par Pierre le Grand, ces deux organismes se trouvaient au sommet de la hiérarchie administrative. Ces deux splendides édifices furent construits en 1829–1834 par Carlo Rossi qui, conformément à la volonté de Nicolas Ier, leur attribua des dimensions et un décor faisant écho à l'Amirauté. Les trois édifices forment ainsi un très bel ensemble. Grâce à l'arc jeté au-dessus de la rue Galernaïa, le Sénat et le Saint-Synode ne paraissent être qu'un seul édifice. Les contemporains disaient que le classicisme « était entré » dans Saint-Pétersbourg par l'arc de la Nouvelle Hollande et était « sorti » par celui du Sénat et du Saint-Synode.

Au centre de la place bordée au sud par la cathédrale Saint-Isaac, se dresse le fameux monument de Pierre le Grand ou, selon Alexandre Pouchkine, le *Cavalier d'airain*.

Ce monument fut érigé en 1782 sur ordre de Catherine II. L'exécution en fut confiée à Etienne-Maurice Falconet, mais c'est à Marie-Anne Collot que l'on doit la tête de l'empereur (d'après le modèle de Bartolomeo Carlo Rastrelli). Le sculpteur représente son modèle sous les traits d'un empereur romain, la couronne de lauriers et l'épée rappelant ses vertus militaires. C'est ainsi que les contemporains de Catherine II percevaient le grand tsar réformateur.

Selon Falconet, le piédestal du monument devait être « un roc sauvage ». On le trouva non loin de Saint-Pétersbourg, dans les environs de Lakhta. D'un poids de 1600 tonnes, cet énorme bloc dit « pierre de tonnerre », fut transporté sur la place à l'aide d'un système de boules en bronze et de patins s'appuyant sur des rails à rigoles.

L'empereur, couronné de lauriers, monte son cheval qui piétine un serpent et se cabre au bord de la Néva. D'un geste autoritaire, il tend sa main, embrassant la ville du regard. *Le Cavalier d'airain* exprime la victoire de la Russie sur les Suédois et même temps, c'est l'un des symboles de Saint-Pétersbourg.

*Statue équestre de Pierre le Grand (« Le Cavalier d'airain »). 1766–1782
Sculpteur Etienne-Maurice Falconet (avec la participation
de Marie-Anne Collot et de Feodor Gordeiev). Architecte Youri Velten*

Cathédrale Saint-Nicolas-des-Marins. Architecte Savva Tchevakinski. 1753–1762

La Nouvelle-Hollande est un coin du vieux Saint-Pétersbourg entre la rivière Moïka, le canal Krioukov et le canal de l'Amirauté à s'être conservé intact. A l'origine, c'était un chantier naval, le deuxième après l'Amirauté, où l'on construisait des petits voiliers et des batcaux à rames. C'est ici, à l'aube de l'existence de Saint-Pétersbourg, que fut construite la majorité des galères russes, puis plus tard, des bâtiments de ligne. Les chantiers navals, les canaux, la proximité de la mer – tout rappelait la Hollande à Pierre le Grand et contribuait à donner à l'île son nom. A la première moitié du XVIIIᵉ siècle, le bois de mâture était stocké dans des entrepôts en bois érigés par Ivan Korobov. En 1765, ils furent remplacés par Savva Tchevakinski par des entrepôts analogues, mais en pierre. Mais ces travaux ne furent achevés qu'au milieu du XIXᵉ siècle. L'architecte Jean-Baptiste Vallin de La Mothe décora les façades des grands bâtiments en briques et aménagea une arche monumentale – l'une des plus impressionnantes du vieux Saint-Pétersbourg — au-dessus du canal menant de la Moïka à l'intérieur de l'île,

dans un bassin spécialement aménagé pour les essais.

Le nom de Savva Tchevakinski est également lié à l'édification d'une des plus célèbres cathédrales de la ville : celle de Saint-Nicolas-des-Marins. Construite dans le style baroque en l'honneur de tous les marins de guerre morts pour la Patrie, elle est consacrée à saint Nicolas, le patron des navigateurs. L'ukaze de la « construction d'une église en pierre dans le quartier peuplé de marins » fut signé par l'impératrice Elisabeth en 1752, mais sa consécration n'eut lieu qu'en 1762 en présence de Catherine II qui offrit à la nouvelle cathédrale 10 icônes de saints, le jour de la commémoration desquels la marine de guerre russe avait remporté des victoires sur les Turcs.

Cette cathédrale, l'une des plus belles du baroque russe, est un monument à la gloire militaire de la Russie et en même temps un objet de vénération particulière de la part des marins. C'est ici que l'on célèbre les offices des morts, que l'on chante les *Te Deum* avant l'appareillage des bateaux et à leur retour, ou encore à l'occasion de la mise en chantier d'un navire ou de sa mise à l'eau. La cathédrale n'a jamais été fermée au culte.

L'arche de la Nouvelle-Hollande. 1756–1789
Architectes Savva Tchevakinski, Jean-Baptiste Vallin de La Mothe

Cathédrale Saint-Nicolas-des-Marins
Icône Saint Nicolas. XVIIe siècle

L'élégant clocher à quatre niveaux de Saint-Nicolas-des-Marins se reflète dans les eaux du canal Krioukov. Il se termine par une fine flèche dorée. Le clocher lui-même et les quais en granit du canal, avec leur balustrade en fer forgé, font de cet endroit l'un des coins les plus romantiques de Saint-Pétersbourg.

La cathédrale est constituée de deux églises : celle du rez-de-chaussée (l'église d'hiver), et celle du premier étage (l'église d'été), plus vaste et mieux éclairée. Après la révolution, la cathédrale n'a jamais été fermée, son décor intérieur s'est parfaitement bien conservé, ce qui la distingue avantageusement de nombreux autres bâtiments baroques de cette époque. Tchevakinski lui attribua, aussi bien à l'intérieur qu'à l'extérieur, des éléments d'architecture de palais. C'est également à lui que l'on doit l'iconostase de l'église d'été – l'une des plus remarquables à Saint-Pétersbourg. L'iconostase a été exécutée par un groupe d'artistes peintres sous la direction de I. Kanaïev. Les 32 icônes qui la constituent ont été peintes dans les traditions de la peinture d'icônes russe. La colonnade de l'autel et le dais sont de remarquables œuvres d'art appliqué russe.

La cathédrale est devenue l'un des symboles de Saint-Pétersbourg. Sa fine silhouette, et surtout celle de son clocher, ont inspiré plusieurs générations de peintres.

Cathédrale Saint-Nicolas-des-Marins. Le clocher

Cathédrale Saint-Nicolas-des-Marins. L'iconostase ▶

Le Théâtre Mariinski. Architectes Albert Cavos. 1847–1859 ; Victor Schroeter. 1883–1886

Saint-Pétersbourg compte une quarantaine de théâtres sans compter les palais et les maisons de culture. Le tout premier théâtre de la ville a été ouvert en 1714 auprès du palais de la princesse Natalia, sœur de Pierre Ier. L'Opéra, lui, remonte aux années 1730, règne de l'impératrice Anna Ioannovna. Depuis, la vie théâtrale à Saint-Pétersbourg a toujours été très intense. Au XIXe siècle, le ballet russe était même le meilleur au monde.

Particulièrement célèbre est le Théâtre-Marie. Il se situe à l'endroit où, en 1765, s'élevait un théâtre en bois. On y organisait des carnavals et des spectacles d'amateurs. Dix-sept ans après, Antonio Rinaldi le remplaça par un édifice en pierre, le plus grand théâtre en Europe. C'était le centre le plus important de la vie théâtrale et musicale de la capitale. Plusieurs fois détruit par les incendies puis restauré, il fut reconstruit une dernière fois à la fin du XIXe siècle en tant que Conservatoire, le premier en Russie. Beaucoup de compositeurs et de musiciens célèbres y ont fait leurs études : Piotr Tchaïkovski, Dimitri Chostakovitch...

Jusqu'au milieu du XIXe siècle, en face du Conservatoire se trouvait un théâtre-cirque. Il était construit dans les traditions théâtrales qui s'étaient formées vers la fin du XVIIIe et le début du XIXe siècle, avec plusieurs balcons et de nombreuses loges. Ce bâtiment fut ravagé par le feu en 1859 et reconstruit par Albert Cavos.

C'est alors qu'il prit le nom de Théâtre-Marie, en l'honneur de l'impératrice Maria Alexandrovna, épouse d'Alexandre II. Le Théâtre s'ouvrit en 1860 avec l'opéra de Mikhaïl Glinka *La Vie pour le tsar*.

Le Théâtre-Marie a applaudi un grand nombre de danseurs et de chanteurs : Feodor Chaliapine, Léonid Sobinov, Anna Pavlova, Tamara Karsavina, Mathilde Kchessinskaïa, Vatslav Nijinski, Galina Oulanova... A la fin du XIXe siècle, il était célèbre dans le monde entier pour ses ballets placés sous la direction du célèbre Marius Petipa.

Le théâtre changea plusieurs fois de nom. Aujourd'hui, il a repris son nom d'origine : le Théâtre-Marie ou le Mariinski. C'est un centre de vie musicale important à Saint-Pétersbourg, largement connu à l'étranger.

Piotr Tchaïkovski. Scène de Casse-noisette. *Mise en scène de Mikhaïl Chemiakine*

Rismki-Korsakov. Scène de Sadko

Palais Youssoupov. Architectes Jean-Baptiste Vallin de La Mothe, années 1760 ;
Andreï Mikhaïlov II, 1830–1838 ; Hippolyte Monighetti, 1858–1859

Palais Youssoupov. Appartements privé de Félix
Youssoupov fils. 1916. Musée de cire, par A. Beloborodov

Palais Youssoupov. Salon Mauresque. Architectes Hippolyte Monighetti, années 1860 ; A. Stepanov, années 1890

Non loin de la place du Théâtre, sur le quai gauche de la Moïka, s'élève le splendide palais Youssoupov qui, depuis 1925, abrite le palais de culture des Enseignants. De 1830 à 1917, ce palais avait appartenu à l'une des plus riches famille en Russie, les princes Youssoupov. Simple à l'extérieur, il se distingue par des intérieurs luxueux, malgré les nombreuses modifications apportées au cours des 150 années de son existence. Escalier de marbre orné de sphinx et de putti, salle de danse avec colonnes, salons, cabinets aux murs revêtus de soieries ou de panneaux de chêne... — les Youssoupov ne ménageaient ni leurs forces ni les moyens pour orner le palais. Le décor du salon Mauresque est un don à la mode du milieu du XIXᵉ siècle, quand on se faisait aménager des salles « turques » ou « mauresque », ou même construire des édifices entiers inspirés de ces styles. La salle de spectacle du Théâtre du palais ressemble à une riche bonbonnière. Depuis 1987, on y donne des concerts de musique de chambre. Autrefois, dans le palais, il y avait une superbe collection de tableaux, de sculptures, d'œuvres de joaillerie et d'art appliqué, peut-être la meilleure en Europe. Le palais lui-même était l'un des plus imposants dans la capitale. L'on considérait comme un honneur de jouer sur la scène du théâtre. Pauline Viardot, Feodor Chaliapine et Léonid Sobinov, Franz Liszt et Frédéric Chopin, Alexandre Blok et Serguei Essenine — telle est la liste incomplète des célèbres artistes qui s'y sont produits.

Une exposition est consacrée au complot tramé contre Raspoutine. C'est ici, dans le palais, dans l'appartement privé de Félix Youssoupov, que Grigori Raspoutine fut tué dans la nuit du 16 au 17 décembre 1916 par un groupe de conjurés.

L'île Vassilievski

Le panorama de l'île Vassilievski fait penser aux paroles de Gogol : « Comme Saint-Pétersbourg est devenu élégant ! Il est entouré de miroirs : ici la Néva, là le golfe de Finlande ! De tous les côtés, il peut se mirer. » L'île Vassilievski, la plus méridionale et la plus grande des îles du delta de la Néva, s'étend sur plus de mille hectares. Autre-fois, les Finlandais appelait cet endroit Hirvisaari, l'île aux Elans, car il abondait en élans. On ignore la provenance de ce nom : peut-être de quelque magistrat de Novgorod qui s'appelait Vassili et qui possédait ces terres au XVe siècle. Au milieu des années 1710, Pierre Ier pensait en faire le centre de la ville à l'exemple d'Amsterdam, avec des rues bien droites bordées de canaux. Cependant ce projet dû à Domenico Trezzini et à Jean-Baptiste Leblond, ne fut jamais réa-lisé. Aujourd'hui, seules les perspecti-ves et les rues de l'île Vassilievski gardent l'empreinte de ce rêve inaccompli. Les flots majestueux de la Néva, qui se ramifie ici en deux bras – la Grande Néva et la Petite Néva–, semblent embrasser le site. Deux ponts relient la Pointe à la rive gauche de la Néva et au quartier de Petrograd. En empruntant la Grande Perspective de l'île Vassilievski, on arrive au bord de la mer Baltique. C'est ici que se trouve la « porte maritime » de Saint-Pétersbourg : son port passager.

Panorama de l'île Vassilievski

*La Bourse. Lithographie en couleurs de Louis-Jean Jacottet et d'Aubrin,
d'après un dessin de Joseph Charlemagne. Milieu du XIXᵉ siècle*

'ensemble de la Pointe de l'île Vassilievski est un des plus beaux sites de Saint-Pétersbourg. Il est particulièrement majestueux depuis le pont de la Trinité et du côté de la forteresse Pierre-et-Paul. Les lignes des quais se confondent pour former un panorama grandiose. Les édifices du musée de l'Ermitage, l'Amirauté, la cathédrale Saint-Isaac, la Bourse et la Douane s'y inscrivent organiquement, et tout l'ensemble retentit comme une symphonie triomphale dont l'accord final est la Pointe de l'île Vassilievski. L'ensemble est dominé par la Bourse construite en imitation d'un temple antique. Les colonnes Rostrales – à la fois phares et monuments de triomphe – lui confèrent des notes héroïques et romantiques. Les douces rampes, les boules de pierre posées sur des socles en granit, les arcs et les masques de lion attribuent à la silhouette de la Pointe de l'île Vassilievski une allure incomparable.

L'ensemble de la Pointe s'est formé au long des années. Selon les plans de Pierre Iᵉʳ, ce devait être la place centrale de Saint-Pétersbourg, mais le terrain resta longtemps inoccupé. L'idée de l'ensemble tel qu'on le voit aujourd'hui appartient à Jean-François Thomas de Thomon. Les travaux d'aménagement commencèrent d'après son projet en 1804. Les fondations de la Bourse ont été posées en 1805 en présence de la famille impériale. Les marchands organisèrent à cette occasion une grande fête suivie d'un dîner solennel. La campagne de Russie retarda l'inauguration de la Bourse qui ne fut ouverte qu'en 1816. L'événement se transforma en grande fête nationale. Entre 1826 et 1832, l'architecte Ivan Luchini éleva deux entrepôts portuaires s'ouvrant sur la Grande et la Petite Néva, puis, vers 1829–1832, la Douane. Celle-ci, construite dans l'esprit du classicisme italien, paracheva l'ensemble. De nos jours, la Bourse abrite le musée de Marine de guerre ; l'entrepôt sud, le musée de Zoologie ; l'entrepôt nord, des instituts de recherches scientifiques. L'ancienne Douane, quant à elle, est devenue « la Maison de Pouchkine » : l'Institut et le Musée de la littérature russes.

La tour de la Douane, au bord de la Petite Néva, fait écho à celle de la Kunstkammer qui domine la Grande Néva. Pendant les inondations, fréquentes à Saint-Pétersbourg, la Pointe de l'île Vassilievski était parmi les premières à se trouver sous l'eau, aussi la souleva-t-on de terre, l'avançant en même temps de 100 mètres dans la Néva. C'est ainsi qu'apparut l'un des plus beaux sites de Saint-Pétersbourg : la place en hémisphère de la Bourse. Autrefois, on y organisait des fêtes populaires et des courses de traîneaux. Le jour du Baptême du Christ des milliers de fidèles se groupaient devant la trouée percée dans la glace qui symbolisait le Jourdain.

La Pointe de l'île Vassilievski

depuis le quai du Palais

Pointe de l'île Vassilievski. Colonne Rostrale. 1807–1810. Architecte Jean-François Thomas de Thomon

D'une hauteur de 32 mètres chacune, les colonnes Rostrales, avec leurs proportions parfaites, se dessinent nettement dans le ciel de Saint-Pétersbourg. Erigées en 1810 par Jean-François Thomas de Thomon, elles se trouvent aux angles de la place semi-circulaire qui s'étend devant la Bourse, soulignant sa position dominante et conférant à l'endroit un air de parade. Elles rappellent l'ancienne tradition romaine de marquer les victoires navales par l'érection de colonnes de triomphe décorées de rostres – éperons pris aux navires ennemis. Les quatre allégories au pied des socles personnifient les fleuves les plus importants de la Russie : le Volkhov, la Néva, le Dniepr et la Volga. Elles ont été exécutées par S. Soukhanov, le meilleur sculpteur de Saint-Pétersbourg à l'époque, d'après les dessins du Flamand Joseph Camberlain et du Français Franz Thibault. Un escalier en colimaçon placé à l'intérieur de chaque colonne mène à une plate-forme où se trouve le fanal, branché sur le gaz depuis 1957. On y allume les flambeaux les jours de grande fête tout comme on le faisait autrefois, lorsque la Pointe abritait le port de commerce alors que les colonnes servaient de phares. On a d'ici une vue magnifique sur la ville : d'un côté, la forteresse Pierre-et-Paul; de l'autre, le palais d'Hiver et l'Amirauté. En ce point, la Néva est large de plus d'un kilomètre.

Pointe de l'île Vassilievski. La Néva. *Sculpture allégorique du socle de l'une des colonnes Rostrales. Sculpteur Jean Thibault*

Panorama du quai de l'Université depuis la rive gauche de la Néva. Au centre : la Kunstkammer
Architectes Georg Johann Mattarnovy, Gaetano Chiaveri. 1718–1734

L'île Vassilievski est le « quartier latin » de Saint-Pétersbourg. De nombreux établissements scolaires et scientifiques y ont été ouverts entre la fin du XVIIIe siècle et le début du XIXe siècle : l'Académie des sciences, l'Université, l'Académie des beaux-arts, l'école des Mines. C'est ici, quai de l'Université, que se trouvait également le premier musée de Russie : le Cabinet des Curiosités. Fondé en 1714 par Pierre le Grand, il renfermait les collections acquises par le tsar pendant son séjour à l'étranger. Quelques années plus tard, entre 1718 et 1734, Georg Mattarnovy construisit un édifice spécial pour l'abriter : la *Kunstkammer*. Aujourd'hui, c'est un des rares bâtiments baroques datant de l'époque pétrovienne qui se soient conservés à Saint-Pétersbourg. Il abrite le Musée d'anthropologie et d'ethnographie Pierre le Grand et le Musée Lomonossov. A côté, se tient l'Académie des sciences, édifice qui fut construit de 1783 à 1787 par Giacomo Quarenghi dans le style classique. En continuant sur le quai de l'Université, on peut voir l'énorme édifice des Douze Collèges. Il a été élevé par Domenico Trezzini en 1722–1742 pour les organes gouvernementaux de l'Empire russe qu'il venait de créer. L'architecte réunit sous un seul toit douze corps de bâtiments identiques, accolés les uns aux autres. Depuis 1819, les collèges abritent l'Université de Saint-Pétersbourg. Avec sa façade principale orientée vers une énorme place (Pierre Ier voulait faire de l'île Vassilievski le centre de la capitale), l'Université paraît dépouillée et étroite du côté de la Néva.

Kunstkammer. Musée Lomonossov. C'est autour de cette table ronde que siégeaient les premiers académiciens russes.

Kunstkammer. Salle Ronde consacrée à l'histoire des collections de curiosités de Pierre le Grand

S ur le quai de l'Université s'élève le premier bâtiment en pierre de l'île Vassilievski. En 1709, cette île avait été offerte par Pierre le Grand à son compagnon d'armes, le premier gouverneur de Saint-Pétersbourg et l'un des hommes les plus riches en Russie, le prince Alexandre Menchikov. Ce palais, construit « à la manière européenne » entre 1710 et 1714 par Domenico Fontana et Johann Gottfrid Schädel, impressionnait par ses dimensions et la richesse du décor. Au début du XVIIIe siècle, c'était le plus grand et le plus beau bâtiment dans la capitale nord, et l'un des premiers bâtiments en pierre. Particulièrement luxieux étaient les appartements du premier étage. La Grande Salle (ou salle des Assemblées) donnait naissance à deux enfilades – les appartements particuliers de la femme du prince et ceux de sa belle-sœur. Les pièces sont ornées de carreaux de faïence hollandais. Pierre lui-même venait souvent rendre visite à Menchikov. C'est ici que se déroulaient ses célèbres « assemblées », des fêtes joyeuses et des réceptions. Plus tard, le palais abrita le Corps des Cadets ainsi que d'autres organismes. Depuis 1981, le palais est annexé au musée de l'Ermitage.

Peintre anonyme
Alexandre Menchikov. *1716–1720*

Le palais Menchikov. Architectes Domenico Fontana et Johann Gottfrid Schädel. 1710–1727

Palais Menchikov. Appartement privé
de Barbara, la belle-sœur du prince

Palais Menchikov. Salon en noyer
(Cabinet du prince Menchikov)

*L*e panorama du quai de l'Université est dominé par l'imposant bâtiment de l'Académie des beaux-arts ou l'Académie des « trois arts principaux » comme on disait à l'époque : peinture, sculpture et architecture. Catherine II en sanctionna les statuts en 1764. Le bâtiment fut construit de 1764 à 1788 par Alexandre Kokorinov et Jean-Baptiste Vallin de La Mothe. Magnifique échantillon du classicisme à ses débuts, il servit d'exemple à de multiples édifices qui furent élevés à la seconde moitié du XVIIIe siècle. De proportions harmonieuses et de façades expressives, l'édifice à l'intérieur était simple et pratique et renfermait les appartements des enseignants et des fonctionnaires, une salle de conférences, des galeries de peintures et de sculptures, quelques bibliothèques, les classes. Au centre de l'édifice se trouve une grande cour circulaire. Quatre cours supplémentaires, plus petites, aux angles du bâtiment contribuent à l'éclairage. L'édifice, qui s'est parfaitement bien conservé, a toujours servi à sa destination primaire. En 1819–1821, l'architecte A. Mikhaïlov érigea dans le jardin de l'académie un autre édifice — le Bâtiment de dessins —, remarquable échantillon du néo-classicisme qui s'inscrivit parfaitement dans l'ensemble. Situé dans l'axe de l'académie, il est décoré d'un portique avec six colonnes doriques. L'ensemble fut parachevé en 1832–1834 par Konstantin Ton qui aménagea, devant l'Académie, un débarcadère flanqué de sphinx égyptiens authentiques, au visage du pharaon Aménophis III. Ces sphinx, qui proviennent des fouilles effectuées à Thèbes, furent achetés sur ordre de Nicolas Ier par l'intermédiaire du voyageur russe A. Mouraviov. D'un poids de 23 tonnes chacun, ils ont trois mille cinq cents ans. Ces vieux sphinx énigmatiques ont inspiré nombre de poètes et de peintres de Saint-Pétersbourg.

Quai de l'Université. L'Académie des beaux-arts. Architectes Jean-Baptiste Vallin de La Mothe et Alexandre Kokorinov. 1764–1788

Quai de l'Univeristé. Débarcadère aux sphinx devant l'Académie des beaux-arts. Architecte Konstantin Ton. 1832–1834

Le quartier de Petrograd

La forteresse Pierre-et-Paul est située sur l'île des Lièvres (que les Finlandais appelaient Enissari, peut-être à cause de l'abondance de ces rongeurs dans l'endroit). C'est l'un des sites les plus émouvants de Saint-Pétersbourg. Son emplacement convenait parfaitement à la construction d'une forteresse. Les travaux commencèrent, et bientôt, tout autour, sur la rive droite de la Néva, dans l'île Koivusaari (ou île des Bouleaux, aujourd'hui quartier de Petrograd), un petit bourg allait se développer, avec des rues et des maisons pour abriter les premiers habitants (ouvriers occupés aux travaux de construction, personnes de haut parage) et une place – celle de la Trinité –, la plus ancienne de Saint-Pétersbourg. Cette place devait son nom à l'église de la Trinité qui s'élevait en son milieu, la principale à l'époque. Dans ce même district se trouvaient le Sénat, les collèges des ministres, la bourse, la douane, l'im-primerie ainsi que d'autres bâtiments administratifs, commerciaux et culturels, jusqu'à ce que Pierre Ier décidât de transférer le centre à l'île Vassilievski. Le visiteur trouvera beaucoup de curiosités à voir dans cet endroit : la Maisonnette de Pierre le Grand, simple maison en bois, la première « résidence » du tsar à Saint-Pétersbourg ; le quai en granit décoré d'animaux fabuleux chinois, les schi-tsi ; le légendaire croiseur Aurore ; la perspective Kamennoostrovski, véri-table « encyclopédie » du XXe siècle. La perspective Kamennoostrovski relie le quartier de Petrograd aux pittor esques îles Elaguine, Kamenny et Krestovski parsemées de riches maisons.

La forteresse Pierre-et-Paul et l'île des Lièvres depuis le quai du Palais

La cathédrale Saints-Pierre-et-Paul. 1712–1733. Par Domenico Trezzini
La Maison du Bateau. 1761–1762. Par Alexandre Vürst

*L*a forteresse Pierre-et-Paul est le cœur même de Saint-Pétersbourg. Elle fut construite par Domenico Trezzini de 1703 à 1734 puis, après sa mort, par d'autres architectes. Entre 1779 et 1787, ses murs furent revêtus de granit. Erigée comme un ouvrage défensif selon les dernières conceptions de l'architecture militaire, son rôle ne fut toutefois pas celui dont rêvait Pierre le Grand. Elle n'exerça jamais sa fonction directe. Ce fut l'une des plus cruelles prisons politiques, la Bastille russe, où finit ses jours notamment son premier détenu, le fils de Pierre Ier Alexis.

La forteresse, véritable village de musée (dont celui d'Histoire de Saint-Pétersbourg), renferme des bâtiments d'époque et de fonction différentes : puissants bastions pentagonaux, casemates ayant servi de cellules de détention, courtines, corps de garde, Hôtel des Monnaie. Construits à des époques différentes, tous ces bâtiments constituent néanmoins un ensemble cohérent. Au milieu se dresse la cathédrale Saints-Pierre-et-Paul. De nos jours encore, c'est le point architectural le plus élevé de Saint-Pétersbourg. Son clocher, à plusieurs niveaux, atteint, avec la flè-

La forteresse Pierre-et-Paul. Porte Saint-Pierre. 1714–1718. Architecte Domenico Trezzini, sculpteur Hans Konrad Ossner

La forteresse Pierre-et-Paul. Pierre Ier. *1991. Par Mikhaïl Chemiakine*

che, une hauteur de 122,5 m. Il est couronné d'un ange semblant survoler la ville, devenu avec le temps l'un des symboles de Saint-Pétersbourg. La première pierre de la cathédrale, telle qu'on la voit aujourd'hui, fut posée en 1712, à l'endroit où se dressait autrefois une petite église en bois. Les travaux de construction étaient dirigés par Domenico Trezzini. La cathédrale fut consacrée en 1733. En 1896–1906, on y rajouta le Grand Tombeau Princier, construit dans le style néo-russe par David Grimm. A côté de l'entrée ouest de la cathédrale se trouve la Maison du Bateau, pavillon destiné à abriter le « grand-père » de la marine de guerre russe, un bateau que Pierre Ier avait trouvé dans sa jeunesse et sur lequel il s'était initié à la navigation sur la rivière Yaouza et le lac de Pereyaslov. Aujourd'hui, une exposition concernant l'histoire de Saint-Pétersbourg y est déployée, de même que dans certains autres bâtiments de la forteresse. Non loin de la cathédrale, on peut voir le monument de Pierre le Grand dû à Mikhaïl Chemiakine. De grandes portes percent les courtines dont celle de Pierre, construite de 1717 à 1718 par Domenico Trezzini : c'est l'entrée principale de la forteresse.

Saints-Pierre-et-Paul était le symbole de la jeune capitale et le signe de l'affirmation de la Russie sur la mer Baltique. Avant la construction de Saint-Isaac, jusqu'à 1859, c'était la principale cathédrale du pays. Son architecture est inhabituelle. S'écartant résolument des canons prescrits dans l'architecture ancienne – églises en forme de croix, coupoles, intérieurs exigus – Trezzini créa un nouveau type d'édifice religieux. L'intérieur de la cathédrale rappelle une énorme salle de palais éclairée par de grandes fenêtres. Les trophées militaires qui décorent la nef lui confèrent un caractère solennel et jubilant. L'iconostase elle-même est faite en forme d'arc de triomphe. En bois, décorée avec une exubérance purement baroque, elle a été exécutée à Moscou par une équipe de sculpteurs sur bois sous la direction de Ivan Zaroudny, puis dorée à Saint-Pétersbourg. Les icônes ont été faites sous la direction de M. Merkuriev, les panneaux sur les murs sont dus aux meilleurs artistes de l'époque : Georg Gsell, D. Soloviov, Adrian Zakharov, Andreï Matveïev. Devant l'iconostase se trouvent la « place du tsar », d'où les souverains assistaient aux offices, et la chaire à prêcher, d'où les prêtres prononçaient leurs homélies. C'est dans la cathédrale Saints-Pierre-et-Paul que l'on excommunia l'écrivain Léon Tolstoï et le cosaque rebelle Emelian Pougatchov.

La cathédrale Saints-Pierre-et-Paul. Chaire à prêcher surmontée d'un dais. 1732. Architecte anonyme

La cathédrale Saints-Pierre-et-Paul.
Monument funéraire de Pierre Ier. 1865
Par Auguste Poiraux et Andreï Gun

La cathédrale renfermait autrefois des objets personnels de Pierre le Grand parmi lesquels quelques icônes qui lui avaient appartenues et un lustre qu'il avait fabriqué lui-même sur un tour.

L'empereur Pierre Ier mourut le 28 janvier 1725. Sa dépouille fut placée au palais d'Hiver et une foule énorme défila respectueusement devant le cercueil. Quelques jours après, le cercueil fut transposé dans une chapelle en bois érigée à l'intérieur de la cathédrale Saints-Pierre-et-Paul alors en construction. L'enterrement n'eut lieu que six ans plus tard, en 1731. D'après la légende, la prière devant le tombeau de l'empereur protège des malheurs.

Depuis, la cathédrale devint la nécropole des tsars de Russie. En 1865, les monuments funéraires furent remplacés par des sarcophages en marbre de Carrare blanc. En 1998, les dépouilles de l'empereur Nicolas II, de son épouse, l'impératrice Alexandra Feodorovna, de leurs enfants et de quatre serviteurs, tous fusillés en 1918, furent inhumées dans la cathédrale.

La cathédrale Saints-Pierre-et-Paul.
Nef centrale. Iconostase. 1722–1726
Architecte Ivan Zaroudny

Maisonnette de Pierre le Grand et buste de l'empereur. Par Parmin Zabello. 1852

L a Maisonnette de Pierre le Grand est la première maison de Saint-Pétersbourg et l'unique en bois à s'être conservée intacte de l'époque de Pierre Ier. D'après la légende, elle aurait été montée en trois jours, du 24 au 26 mai 1703, par des soldats charpentiers du régiment Semionovski. Cette simple maisonnette à un seul niveau, avec un toit pentu recouvert de lames de bois taillés en forme de tuiles, aux murs en imitation de briques, est la première résidence du tsar sur les rivages de la Néva. Jadis le toit était décoré d'un mortier, le faîte de boulets en bois peint. En fait, c'était une simple isba, avec deux pièces et un vestibule. Elle portait pourtant le nom de « Beau Palais » ou de « Premier Palais ». A côté de la maison, l'étendard du tsar brodé de l'aigle bicéphal et fixé sur une hampe signalait la haute présence. A l'intérieur, il n'y avait ni poêle ni cheminée : Pierre Ier n'y séjournait qu'en été. De loin parvenaient les rumeurs de la place de la Trinité qui regroupait tous les établissements importants de la jeune capitale. Dans le voisinage, les hauts dignitaires s'élevaient eux-aussi des hôtels particuliers, souvent beaucoup plus luxieux que celui du tsar.

Pierre le Grand. *Par Parmin Zabello. 1875*

La maisonnette est le premier monument de Saint-Pétersbourg pris sous protection encore du vivant de l'empereur. Après l'achèvement de la guerre du Nord, Pierre commença à construire des résidences de parade, alors que le centre de la ville se transférait peu à peu sur l'autre rive de la Néva, dans le quartier de l'Amirauté. Oubliée avec le temps, la maisonnette devint vétuste. En 1723, elle fut recouverte d'un revêtement, deux fois remplacé au XVIIIe siècle. Celui que l'on voit aujourd'hui a été installé en 1844 d'après le projet de R. Kouzmine. A partir de 1852, la maisonnette est entourée d'une grille en fer forgé. Plus tard, en 1875, on aménagea un jardin décoré, au milieu, du buste en bronze de Pierre le Grand dû à Parmin Zabello. Un musée est ouvert ici depuis 1830. On peut y voir des objets de la vie quotidienne du XVIIIe siècle, quelques objets personnels de Pierre le Grand, l'empreinte de sa main.

A l'époque de Pierre Ier, la maisonnette se trouvait tout au bord de l'eau. Vu les inondations fréquentes, on avait commencé à raffermir les rives de la Néva depuis l'existence même de Saint-Pétersbourg. Afin de préserver la maisonnette, des pilotis furent enfoncés et des travaux de remblai effectués, ce qui éloigna de plus de 70 mètres le bâtiment des eaux de la Néva. Un débarcadère en granit de Serdobol fut aménagé plus tard sur le quai, devant la maisonnette.

Maisonnette de Pierre le Grand. Cabinet avec le bureau de l'empereur. Russie. Début du XVIIIe siècle

Maisonnette de Pierre le Grand. La salle à manger

*L*e pont de la Trinité a été ouvert à la circulation en 1903, au cours des festivités consacrées au bicentenaire de Saint-Pétersbourg. C'est alors également que l'on réaménagea la place de la Trinité, la plus vieille de la ville. Au nord, elle est délimitée par l'hôtel particulier de la danseuse Mathilde Kchessinskaïa (par l'architecte Alexandre Von Gauguin), qui fut pendant un certain temps la maîtresse du grand-duc héritier du trône Nicolas (futur Nicolas II). Cet hôtel à un seul étage est considéré comme le meilleur exemple du style Art Nouveau nordique dans la capitale nord de la Russie. Il fut témoin d'événements tragiques. Quartier général des bolchéviques en 1917, c'est d'un de ses balcons que Lénine a lancé son célèbre discours, appelant les masses à continuer leur lutte contre l'oppresseur. L'hôtel abrite aujourd'hui le musée d'Histoire politique de Russie. Le style Art Nouveau s'est implanté plus tard en Russie qu'en Europe occidentale. A Saint-Pétersbourg, il supplanta avec impétuosité tous les autres styles, apportant l'instabilité de l'époque de transition. Il semblait souligner l'essence voilée, le caractère funeste de la ville qu'avaient déjà ressentis et exprimés dans leurs œuvres Pouchkine et Gogol. Cet hôtel luxieux, avec son enfilade brillamment dessinée, son jardin d'hiver, sa grotte et sa fontaine, illustre parfaitement ce style somptueux et maladif à la fois.

Le croiseur Aurore est également lié aux événements révolutionnaires. Il est à quai devant l'école navale Nakhimov, quai de Petrograd. Depuis 1956, c'est une filiale du musée de la Marine de Guerre et le vaisseau-école des futurs marins. Un des meilleurs croiseurs construits dans les chantiers navals de Saint-Pétersbourg en 1897–1903, il prit part à la célèbre bataille de Tsoushima contre les Japonais. Le 25 octobre 1917, par un coup de canon tiré à blanc, le croiseur donna le signal de l'assaut du palais d'Hiver où s'étaient enfermés les ministres du gouvernement provisoire. Cet événement marqua le début de la révolution.

Hôtel Kchessinskaïa. 1904–1906. Par Alexandre Von Gauguin

Ecole navale Nakhimov. 1909–1911. Architecte A. Dimitriev, sculpteur V. Kouznetsov

Le croiseur Aurore. 1897–1903. Ingénieur K. Tokarevski

Le Jardin d'Eté

Le Jardin d'Eté est situé en plein centre de Saint-Pétersbourg, entre les rives de la Néva, de la Fontanka, de la Moïka et du canal des Cygnes. Il est aussi vieux que la ville. En 1704–1705, Pierre Ier participa lui-même à l'aménagement d'un jardin « potager » autour de sa résidence d'été, voulant « que celuici fût plus beau que celui du roi de France à Versailles ». Les plantes venaient de tous les coins de la Russie ainsi que de l'étranger. Le Jardin d'Eté fut aménagé à la française, comme le voulait la mode à l'époque : allées bien droites bordées de haies, bosquets, fontaines, bustes, sculptures, grottes, tonnelles, galeries, labyrinthes, treillages. Les inondations causèrent beaucoup de dégats au jardin, notamment celle de 1777, qui détruisit entièrement les fontaines qui ne furent jamais réinstallées. Avec le temps, le Jardin d'Eté se transforma en parc paysager, tout en conservant la régularité de ses allées, les haies le long de la Fontanka et une partie des sculptures. Du côté de la Néva, le Jardin est fermé par une superbe grille en fer forgé exécutée entre 1773 et 1786 par Youri Velten et P. Egorov. Celle du côté opposé, élevée par Louis Charlemagne, date des années 1820. Dans le jardin, le visiteur remarquera le palais d'Eté de Pierre le Grand, les mai-sonnettes de Café et de Thé, la statue du fabuliste Ivan Krylov ainsi qu'une multitude de superbes sculptures en marbre.

Allée du Jardin d'Eté

utrefois, le jardin d'Eté touchait les eaux de la Néva. Le quai qui le sépare du fleuve aujourd'hui n'a été aménagé que vers la fin du XVIIIe siècle. A l'époque de Pierre Ier, les invités arrivaient en bateau pour accoster à de belles galeries en bois – à la fois débarcadères et salles de réception. C'est ici que l'on organisait les célèbres « assemblées » de Pierre, les fêtes de la Cour, les réceptions d'ambassadeurs. Jusqu'à la fin du XVIIIe siècle, l'accès au jardin était strictement réservé. Les hauts dignitaires de la Cour se promenaient alors seuls dans les allées droites bordées d'arbustes taillés et entrecoupées de pelouses, de bosquets et de parterres de fleurs.

De magnifiques statues en marbre – dieux et déesses antiques, grands capitaines de l'histoire, empereurs, allégories de fables d'Esope – constituent la fierté du jardin. La mode en Europe étant alors d'orner les jardins de statues d'agrément, Pierre en avait tenu compte. Mais pour le tsar c'était aussi un moyen de s'instruire, une « académie » où les jeunes Russes pouvaient assimiler la culture euro-

Jardin d'Eté. Amour et Psyché. *Fin du XVIIe siècle. Sculpteur anonyme*

et compositeurs le fréquentaient alors, notamment Alexandre Pouchkine, qui logeait non loin du jardin en 1834 et qui écrivait à sa femme à propos du jardin : « Le Jardin d'Eté est mon portager. J'y suis comme chez moi. »

Pierre achetait lui-même les statues en Italie ou les commandait par l'intermédiaire de ses représentants (en Russie la sculpture laïque n'existait pas encore). La ville la plus réputée pour ses sculpteurs était Venise, aussi les sculptures qui agrémentent le Jardin d'Eté ont-elles été exécutées par les plus grands sculpteurs vénitiens : Pietro Baratta, Giovanni Bonazzi, Antonio Tarsia, Giuseppe Groppeli... Pierre réussit même à acquérir des statues antiques authentiques, bien que leur sortie d'Italie fût strictement interdite. Des 250 sculptures en marbre italiennes qu'il y avait autrefois, 89 se sont conservées jusqu'à nos jours. On rencontre rarement en Europe un ensemble aussi important de sculptures d'agrément.

Le Jardin d'Eté est devenu le lieu de promenade préféré des Pétersbourgeois. C'est une réserve nationale qui, avec son palais d'Eté, sa grille incomparable, ses statues de marbre, le calme de ses allées ombragées, continue de provoquer l'admiration des visiteurs.

Jardin d'Eté. Cérès. *Début du XVIIIᵉ siècle*
Sculpteur anonyme

péenne. « Je voudrais, disait Pierre, que les gens qui se promènent dans les jardins puissent s'y instruire. » Pour cette raison, les sculptures étaient acquises et installées suivant les thèmes et les sujets. Les bustes des empereurs et des chefs militaires devaient symboliser la grandeur du pouvoir impérial, alors que les dieux et les déesses permettaient, sous forme d'allégories, de civiliser les esprits. La statue *Architecture* (exécutée sur ordre de Pierre Iᵉʳ) symbolisait la fondation de Saint-Pétersbourg, le groupe *Amour et Psyché* représentait le moment culminant du mythe lorsque Psyché, la plus ancienne de toutes dans le Jardin d'Eté, violant l'interdiction des dieux, allumait une lampe pour voir le visage de son divin amant et le perdre aussitôt.

Au premier coup d'œil, ces statues paraissent naïves et d'un goût quelque peu douteux, mais on doit chercher leur véritable valeur dans l'harmonie qu'elles forment avec la nature environnante et les autres éléments décoratifs du jardin, formant un ensemble unique.

Au XIXᵉ siècle, le Jardin d'Eté tomba dans la désuétude. Il n'était pas aussi vaste et aussi richement décoré qu'à l'époque de son fondateur, Pierre le Grand, tout en restant le plus grand et le plus célèbre de Saint-Pétersbourg. Les nobles l'aimaient tout particulièrement au mois de mai, pendant la période des nuits blanches. Mais lorsque ceux-ci partaient en été, le jardin se transformait en havre de tranquillité et de solitude. De nombreux écrivains, poètes

Jardin d'Eté. L'Architecture. *Début du XVIIIᵉ siècle*
Sculpteur anonyme

Palais d'Eté de Pierre Ier. 1710–1714
Architectes Domenico Trezzini et Georg Johann Mattarnovy.
Sculpteur Andreas Schlüter

ierre Ier aimait les éléments de la nature et tout particulièrement l'eau. De ce fait, il avait fait construire son palais d'Eté tout au bord de la Néva, à l'endroit où la rivière Fontanka (qui servait à alimenter les fontaines du Jardin d'Eté) prend sa source. Un embarcadère aménagé en bordure de la façade sud du palais permettait au tsar d'accéder facilement au bateau qui l'attendait toujours. Par la suite, cet embarcadère fut comblé et le palais transformé en musée. Le palais d'Eté est relativement petit – il n'a qu'un seul étage – et rappelle la maison de quelque bourgeois hollandais au XVIIIe siècle. Il fut construit de 1710 à 1714 par Domenico Trezzini et décoré par Andreas Schlüter. Les bas-reliefs qui ornent la façade entre les fenêtres du rez-de-chaussée et du premier étage reproduisent certains sujets mythologiques devant glorifier la puissance de la Russie et la victoire sur la Suède dans la guerre du Nord. Les appartements de Pierre Ier se trouvaient au rez-de-chaussée, ceux de Catherine et des enfants au premier étage. Le plan des appartements et le nombre de pièces étaient identiques.

Le palais nous fait ressentir l'esprit de l'époque et reflète les particularités de son architecture adaptée aux problèmes de l'édification de l'Etat. Les anciennes traditions russes s'y marient aux goûts européens. Dans le palais, seul le vestibule reliant tous les locaux évoque les coutumes ancestrales. Les pièces, elles, forment des enfilades qui seront la règle de toutes les maisons baroques. On peut y voir aujourd'hui des objets authentiques de l'époque. Le mobilier, les objets en bois sculpté, les verreries, les tissus précieux et les miroirs, les tapisseries et les porcelaines, les peintures de plafond et les superbes tableaux sont typiques de la vie à la cour au début du XVIIIe siècle. Le palais d'Eté, qui donna son nom au jardin qui l'entoure, fut une véritable propriété s'étendant sur 12 hectares. A partir de la seconde moitié du XVIIIe siècle, le palais de Pierre perdit son rôle de résidence impériale.

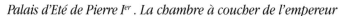

Palais d'Eté de Pierre Ier. La chambre à coucher de l'empereur

Le château Michel (le château des Ingénieurs) est un brillant échantillon de l'architecture de la fin du XVIIIe siècle. Construit et orné en quatre ans, de 1797 à 1800, c'était la résidence officielle de Paul qui monta sur le trône en 1796. Véritable château fort médiéval au centre de la capitale, il s'élevait à l'endroit où, jadis, se trouvait le palais en bois de l'impératrice Elisabeth. La première pierre en fut posée le 26 février 1797. Pour accélérer les travaux de construction, on profita des marbres, des statues et des bas-reliefs destinés à d'autres palais de Saint-Pétersbourg ainsi qu'à la cathédrale Saint-Isaac, alors en construction. L'élévation de la résidence se faisait sous la direction de Vincenzo Brenna, d'après le projet de Vassili Bajenov. La consécration eut lieu le 8 novembre, jour de la Saint-Michel. L'archange saint Michel était le patron de Paul, d'où le nom du château. Le tsar eut tout juste le temps d'emménager sa résidence lorsque, quarante jours après, il fut tué dans sa chambre à coucher par un groupe de conjurés. Le palais resta vacant pendant plus de vingt années, puis on y installa l'Ecole du génie militaire qui donna le nom de château des Ingénieurs. Aujourd'hui, c'est une succursale du Musée russe.

Stepan Chtchoukine.
Paul Ier. 1796–1797

Le château Michel vu depuis le Jardin d'Eté

Le château Michel vu depuis le pont Saint-Pantélémon

КНЯЗЬ
ИТАЛІЙСКОЙ
ГРАФЪ
СУВОРОВЪ
РЫМНИКСКОЙ.
1801г.

La Moïka, le Champ-de-Mars et les casernes du régiment Pavlovski.
1817–1819. Architecte Vassili Stassov

Le Champ-de-Mars s'étend à côté du Jardin d'Eté. C'est la plus grande place de Saint-Pétersbourg : elle fait 500 mètres du nord au sud et 300 mètres de l'est à l'ouest. Au temps de Pierre Ier, c'était un vaste marécage d'où deux cours d'eau prenaient leur source : la rivière Moïka et l'actuel canal Catherine. Le tsar donna l'ordre d'assécher le terrain et de creuser de part et d'autre deux canaux rectilignes – le canal des Cygnes et le canal Rouge – qui relièrent la Moïka à la Néva. Bientôt, on y éleva un palais destiné à l'épouse de Pierre, la tsarine Catherine Ire, et tout le champ reçut alors une autre appellation : le Pré de la Tsarine. C'est ici que, du temps de Pierre, se déroulaient les défilés militaires des régiments de la Garde, tradition qui se perpétua au long des siècles. Les jours de fête on y faisait brûler des feux d'artifice, de sorte que l'endroit était également connu comme Pré des Divertissements. Ce n'est qu'au début du XIXe siècle qu'il reçut son nom définitif : Champ-de-Mars, en l'honneur du dieu romain. C'est ainsi que s'appelait la grande plaine de Rome s'étendant au nord du Capitole où s'exerçaient les jeunes gens. A l'ouest, la place est bordée par le gigantesque bâtiment des casernes du régiment Pavlovski (par Vassili Stassov) qui s'était couvert de gloire pendant la campagne de 1812 contre Napoléon Ier. Plus tard, en 1825, dans le prolongement de la place, sur la rive opposée de la Moïka, Carlo Rossi érigea un pavillon-débarcadère qui s'harmonisait avec l'ensemble du Champ-de-Mars. Au milieu de la place, sous des parterres de fleurs, reposent les victimes de la révolution de février 1917 ainsi que les chefs du prolétariat morts après la révolution d'Octobre. Un monument aux Héros de la Révolution, en granit massif, fut élevé à la même époque. Depuis 1957, au-dessus brille symboliquement la flamme de Souvenir.

Le Champ-de-Mars sert de superbe cadre à la statue du feld-maréchal Souvorov. Elle fut exécutée de 1799 à 1801 par Mikhail Kozlovski et inaugurée le 5 mai 1801, le premier anniversaire de la mort de Souvorov.

Place Souvorov. Monument d'Alexandre Souvorov. 1799–1801. Architecte Andreï Voronikhine,
sculpteurs Mikhaïl Kozlovski et Feodor Gordeïev (bas-reliefs)

La perspective Nevski

La perspective Nevski est l'artère principale, le cœur même de Saint-Pétersbourg. « Il n'y a rien de plus beau que la perspective Nevski, du moins à Saint-Pétersbourg ! », écrivait Gogol. Longue de 4,5 km, elle serre le méandre formé par la Néva au centre de la ville. Son histoire est aussi vieille que celle de Saint-Pétersbourg. Elle fut percée aux années 1710 à travers les forêts pour faciliter le transport des chargements de la route de Novgorod à l'Amirauté. Dans le sens inverse, les moines du monastère Saint-Alexandre Nevski avaient eux-aussi construit une voie les reliant à la grande route. Ce sont ces deux tronçons qui donnèrent la perspective actuelle. Depuis le règne de Catherine II, c'est l'artère principale de Saint-Pétersbourg. Ce qui caractérise cette avenue aujourd'hui, c'est le mélange de constructions datant de siècles différents : palais, hôtels, églises, boutiques, et toutes sortes de bâtiments administratifs. Depuis le début du XIXᵉ siècle, c'est ici que se groupent aussi les grands hôtels et toutes les grandes banques de la ville. Au XXᵉ siècle, la perspective était devenue le centre financier de Saint-Pétersbourg. Traversée par de belles rues et des cours d'eau, elle présente un magnifique lieu de promenades.

La perspective Nevski au niveau de la Galerie marchande Photographie. Début du XXᵉ siècle

a perspective est traversée par plusieurs cours d'eau. Au n° 12 du quai de la Moïka, se trouve le dernier appartement d'Alexandre Pouchkine et l'un des plus célèbres musées en Russie. C'est ici que le poète s'installa avec sa famille en automne 1836 pour y passer les derniers quatre mois de sa vie. C'est ici qu'il s'éteignit le 29 février 1837. Chaque année, en ce jour, des milliers de gens – écrivains, poètes, admirateurs de Pouchkine – viennent ici lui rendre hommage. A 2 heures 45, lorsque le cœur du poète s'arrêta de battre, l'assemblée commémore, par une minute de silence, les événements tragiques.

Ce musée fut ouvert en 1925, mais seulement dans sept pièces. L'appartement fut reconstitué tel qu'il était à l'époque de Pouchkine en 1987. Grâce aux efforts accumulés des collaborateurs du musée, d'historiens, d'architectes et de restaurateurs, chaque objet a retrouvé la place qu'il occupait du vivant de Pouchkine. Le cabinet de travail du poète, avec sa richissime bibliothèque, est particulièrement vénéré. Pour Pouchkine, c'était la pièce la plus importante. Lorsqu'il décida d'abandonner Moscou pour s'installer à Saint-Pétersbourg, il avait demandé à son ami, l'éditeur Piotr Pletnev, de lui trouver un appartement en précisant : « Pourvu qu'il y

Alexandre Pouchkine. *1827*
Par Oreste Kiprenski

Quai de la Moïka. Hôtel Volkonski. Appartement-musée Pouchkine

Appartement-musée Pouchkine. Le cabinet de travail du poète

ait un cabinet de travail, le reste peu importe ». Il aimait tra-
vailler dans son cabinet soit le matin, dès le réveil, soit tard
le soir, lorsque tout se calmait dans la maison. Sur la table,
un livre consacré à Pierre Ier : durant les derniers mois de sa
vie, Pouchkine avait travaillé à l'histoire de l'époque pétrovienne. Au mois de janvier 1837, la première rédaction du
manuscrit était déjà prête, mais sa publication fut interdite
par Nicolas Ier. L'ouvrage ne vit le jour que cent ans après.
C'est dans ce cabinet que Pouchkine acheva son récit *La
Fille du capitaine*, c'est ici également qu'il s'occupait à rédi-
ger les articles du *Contemporain*, journal qu'il éditait. A part
la table et le fauteuil, on peut y voir quelques autres objets
personnels de Pouchkine : son encrier en bronze décoré d'un
négrillon, sa canne avec la pomme contenant un bouton de
la camisole de Pierre Ier, un coffret en bois. On remarquera
également les portraits du poète, dont le dernier peint de
son vivant, ainsi que le portrait de Natalia, sa femme, dû au
pinceau d'Alexandre Brullov. Sa bibliothèque compte quelque 4,5 mille livres en quatorte langues dont des exemplaires
rares. Le poète mourut dans son cabinet, entouré de ses livres,
mortellement blessé à son duel avec Georges d'Anthès.

Portrait de Natalia Pouchkine. *1831–1832*
Aquarelle d'Alexandre Brullov

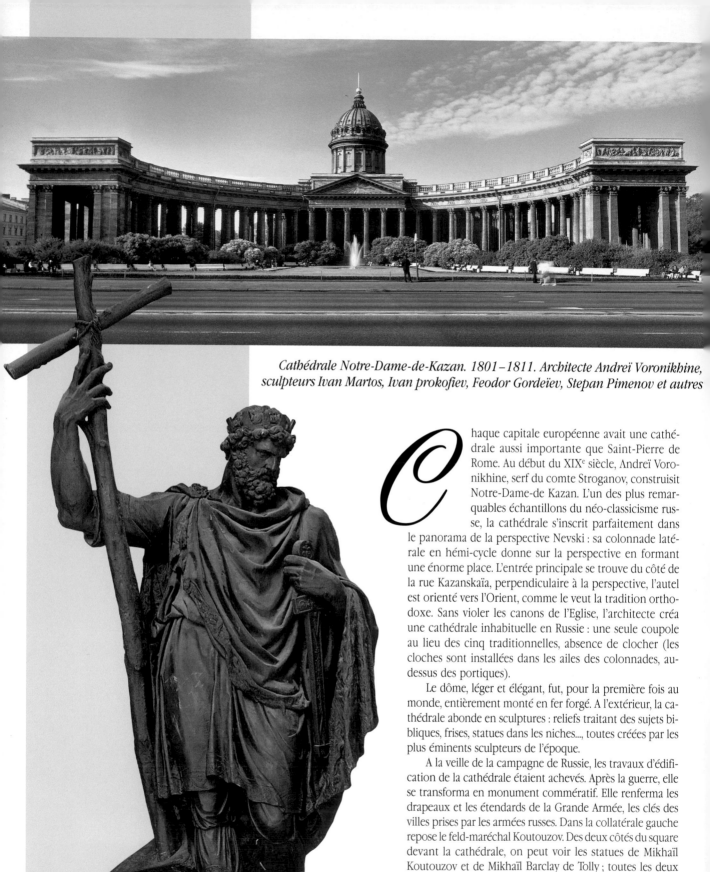

Cathédrale Notre-Dame-de-Kazan. 1801–1811. Architecte Andreï Voronikhine, sculpteurs Ivan Martos, Ivan prokofiev, Feodor Gordeïev, Stepan Pimenov et autres

Chaque capitale européenne avait une cathédrale aussi importante que Saint-Pierre de Rome. Au début du XIXᵉ siècle, Andreï Voronikhine, serf du comte Stroganov, construisit Notre-Dame-de Kazan. L'un des plus remarquables échantillons du néo-classicisme russe, la cathédrale s'inscrit parfaitement dans le panorama de la perspective Nevski : sa colonnade latérale en hémi-cycle donne sur la perspective en formant une énorme place. L'entrée principale se trouve du côté de la rue Kazanskaïa, perpendiculaire à la perspective, l'autel est orienté vers l'Orient, comme le veut la tradition orthodoxe. Sans violer les canons de l'Eglise, l'architecte créa une cathédrale inhabituelle en Russie : une seule coupole au lieu des cinq traditionnelles, absence de clocher (les cloches sont installées dans les ailes des colonnades, au-dessus des portiques).

Le dôme, léger et élégant, fut, pour la première fois au monde, entièrement monté en fer forgé. A l'extérieur, la cathédrale abonde en sculptures : reliefs traitant des sujets bibliques, frises, statues dans les niches..., toutes créées par les plus éminents sculpteurs de l'époque.

A la veille de la campagne de Russie, les travaux d'édification de la cathédrale étaient achevés. Après la guerre, elle se transforma en monument commératif. Elle renferma les drapeaux et les étendards de la Grande Armée, les clés des villes prises par les armées russes. Dans la collatérale gauche repose le feld-maréchal Koutouzov. Des deux côtés du square devant la cathédrale, on peut voir les statues de Mikhaïl Koutouzov et de Mikhaïl Barclay de Tolly ; toutes les deux ont été installées ici en 1837.

Cathédale Notre-Dame-de-Kazan.
Colonnade de la façade nord

Cathédrale Notre-Dame-de-Kazan. Nef centrale et maître-autel

Les contemporains étaient fiers de savoir que Notre-Dame-de-Kazan avait été érigée par des architectes russes et étaient décorées de matériaux venant de Russie : « On n'a utilisé pour la construction de cette cathédrale, pouvait-on lire dans une revue de l'époque, que des matériaux que l'on trouve en Russie et qui font sa gloire et qui ont été travaillés avec tout l'art posible par des artistes issus eux aussi du sein de notre Patrie ». Sa consécration, à la veille de la guerre de 1812, symbolisait le triomphe de la culture russe. Ceci était particuièrement évident dans le décor intérieur. La cathédrale évoque quelque splendide salle de palais avec de grandes fenêtres, scindée en trois par des rangées de colonnes en marbre rose finlandais. La cathédrale abritait l'icône la plus vénérée de Saint-Pétersbourg et de toute la Russie, celle de la Vierge de Kazan. Cette icône fut amenée dans la capitale nord au tout début du XVIIIe siècle sur ordre de Pierre Ier. Malheureusement, il ne reste pas grand-chose aujourd'hui du richissime décor intérieur. Les sculptures, de splendides échantillons de sculpture monumentale russe, harmonieusement liées à l'architecture de l'édifice, ont été remplacées par des peintures. La cathédrale abrita pendant de longues années le musée d'Histoire de la religion. Aujourd'hui, elle est rendue au culte.

Notre-Dame de Kazan. Icône de la Vierge de Kazan. XVIe siècle

Cathédrale Notre-Dame-de-Kazan. Autel et tabernacle

La Maison du Livre vue depuis le canal Catherine.
1902–1904. Par Pavel Suzor

La perspective Nevski doit son allure incomparable aux cours d'eau qui la traversent. Saint-Pétersbourg est un véritable musée des ponts. Il y en a environ 350, plus que dans n'importe quelle autre ville du monde. En pierre, fonte, acier, béton armé, ils sont splendides et variés, accordant à Saint-Pétersbourg un charme et une beauté romantique. Certains d'entre eux s'ouvrent en été, pendant la nuit, pour laisser passer les gros bateaux. Derrière Notre-Dame-de-Kazan, on peut voir un pont suspendu enjambant le canal Catherine : c'est le pont de la Banque, appelé ainsi à cause de la banque des assignats (aujourd'hui Université d'économie et des finances) qui se trouve à côté. Il est célèbre pour les griffons qui le décorent. Leur têtes sont surmontées de réverbères, leurs gueules dissimulent l'ancrage des haubans. Dans la mythologie grecque, les griffons étaient considérés comme les meilleurs gardiens des richesses. Ici, ils devaient garder le pont et la réserve-or de la banque.

Canal Catherine. Le pont de la Banque.
1825–1826. Ingénieur Georg Traitter

L'église de la Résurrection-du-Christ (l'église du Saint-Sauveur-sur-Sang-Versé) s'aperçoit de loin. Inspirée de l'ancienne architecture de Russie, donc inhabituelle pour Saint-Pétersbourg, elle rappelle la cathédrale de l'Intercession-de-la-Vierge de Moscou, plus connue sous le nom de Saint-Basile-le-Bienheureux. Sa conception artistique « russe » reflète la politique des tsars Alexandre II et Alexandre III dans le domaine de l'architecture. Le clergé s'était également tourné vers le style des églises moscovites du XVIIe siècle. Aussi l'église de la Résurrection est-elle un superbe exemple de ce retour aux modèles anciens. L'église marque l'endroit où, le Ier mars 1881, Alexandre II fut mortellement blessé par une bombe jetée par le terroriste Grinevitski, d'où le nom courant de l'église : Saint-Sauveur-sur-Sang-Versé.

L'endroit où le tsar était tombé est inclus dans le volume de l'église, ce qui détermina son emplacement sur le quai du canal Catherine. C'est ainsi que le lieu de l'assassinat – un fragment du quai – s'est conservé intact jusqu'à nos jours. Sous la coupole, on voit les mots de la prière de saint Basile le Grand qui soulignent le caractère pénitentiel du monument.

Cathédrale de la Résurrection-du-Christ (Saint-Sauveur-sur-Sang-Versé). La Crucifixion. 1907. Mosaïque de la façade occidentale. D'après une esquisse d'Alexandre Parland

Franz Krüger. Portrait du grand-duc Alexandre Premier quart du XIXe siècle

Cathédrale de la Résurrection-du-Christ (Saint-Sauveur-sur-Sang-Versé) 1883–1907. Architectes Alexandre Parland et l'archimandrite Ignati (I. Malychev) ▶

Les lieux de l'assassinat ont d'abord été commémorés par l'édification d'une chapelle, puis un concours d'architecture avait été lancé. C'est le projet d'Alexandre Parland et de l'archimandrite Ignati (la légende prétend que ce dernier aurait eu la vision de cette église) qui remporta le premier prix. La première pierre de la future église a été posée en 1883. 24 ans après, l'église était consacrée. En dépit de sa destination – commémorer le tsar assassiné –, elle paraît somptueuse. Châtoyant de toutes les couleurs de ses neuf coupoles revêtues de feuilles dorées et décorées à profusion de carreaux polychromes, elle est belle à n'importe quel moment de l'année. La plus haute de ces coupoles s'élève à une hauteur de 81 mètres. Les façades polychromes, avec leurs colonnettes, leurs chambranles et leurs arcs en forme de diadème, sont revêtues de marbre, de granit et de briques émaillées multicolores ; les coupoles des porches, des perrons et des absides, de tuiles de couleurs. Un baldaquin soutenu par quatre colonnes de jaspe et surmonté d'une croix en topaze marque l'endroit où le sang du tsar a été versé. Le baldaquin et les encadrements d'icônes sont de magnifiques œuvres de sculpture et de joaillerie. Le socle de l'édifice porte vingt plaques de marbre où sont énumérés les décrets principaux du tsar ainsi que les événements marquants de son règne.

La grille en hémi-cycle qui entoure l'église est l'une des plus remarquables de Saint-Pétersbourg. Elle sert de trait d'union entre l'église, la place et la végétation opulente du Jardin d'Eté. Ses piliers ouvragés, ornés de briques émaillées, ses arabesques fantasques rappelant des plantes exotiques, typiques du Modern Style, s'harmonisent parfaitement avec les façades de l'église.

Grille du jardin Mikhaïlovski. 1907. Architecte Alexandre Parland

Coupoles de l'église de la Résurrection-du-Christ (Saint-Sauveur-sur-Sang-Versé)

Les quatre porches de l'église du Saint-Sauveur sur-Sang-Versé, les façades ainsi que les intérieurs son recouverts de superbes mosaïques qui forment un en semble unique en Russie. La superficie totale de ce mosaïques est de quelque 7000 m². Elles furent as semblées dans l'atelier des frères Frolov d'après le esquisses des plus célèbres peintres de l'époque : Vik tor Vasnetsov, Mikhaïl Nesterov, Andreï Riabouchki ne. Les compositions des murs sont consacrés à l'Evangile. Celles de la nef centrale à la vie terrestre de Jésus-Christ : dans la partie ouest on peut voir de scènes des Passions, la Crucifixion et la Résurrection dans la partie est, les scènes évangéliques qui suivi rent la Résurrection.

Saint-Sauveur-sur-Sang-Versé n'a jamais été une sim ple église paroissiale. L'accès des croyants était limité on y célébrait seulement des sermons et l'office des morts le jour du meurtre de l'empereur. Après la révolution l'entrée est devenue libre, ce qui entraîna de graves con séquences (notamment le sol constitué d'une multitude de minces plaques de marbres polychromes, dont l'épaisseur ne surpassait pas cinq millimètres, se trouva pratiquement détruit). En 1930, il était même question de la démolir. Heureusement, le sort épargna ce super be monument. En 1956, il reçut même le statut de mo nument d'architecture placé sous la protection de l'Etat. Depuis 1970, il est rattaché à la cathédrale Saint-Isaac dont il est devenu une succursale.

Eglise de la Résurrection-du-Christ
(Saint-Sauveur-sur-Sang-Versé).
L'Eucharistie

Sophie la Sagesse divine. Mosaïque. D'après une esquisse de V. Beliaev

Eglise de la Résurrection-du-Christ (Saint-Sauveur-sur-Sang-Versé) la nuit

Quelques dizaines de mètres séparent la perspective Nevski de la place des Arts. Celle-ci est délimitée au nord par le Musée russe logé dans l'ancien palais Michel. L'ensemble — le palais, la rue Mikhaïlovski qui y mène et la place — n'a apparu qu'au milieu des années 1820 sur un terrain traversé par un chemin battu et parsemé de jardins potagers. Le palais fut construit par Carlo Rossi pour le frère de l'empereur Alexandre Ier, le grand-duc Michel, d'où son nom. Les contemporains y voyaient le « triomphe de l'architecture moderne », le considérant comme un palais unique, plus beau que n'importe quel autre au monde. D'après Carlo Rossi, maître incontesté des ensembles urbains, le palais, construit conformément aux règles des propriétés de l'époque, devait former l'axe d'un ensemble grandiose allant jusqu'à la perspective Nevski. Il se voit très bien depuis la perspective, de même que le square aménagé devant la façade principale. Au milieu de ce square, on remarquera la statue d'Alexandre Pouchkine (par Mikhaïl Anikouchine), installée ici en 1957 à l'occasion du 150e anniversaire du jour de naissance du poète, le « soleil de la poésie russe » et le chantre de Saint-Pétersbourg.

Les descendants du grand-duc n'avaient pas les moyens d'entretenir le palais Michel dans toute sa splendeur aussi fut-il acheter sur l'ordre de Nicolas II et transformé en musée. Le Musée des arts russes de l'empereur Alexandre III ouvrit ses portes en 1898. L'édifice fut entièrement réaménagé à cette occasion. Particulièrement touché a été le décor intérieur. Seuls l'Escalier d'apparat, la salle aux Colonnes Blanches et quelques autres éléments gardent aujourd'hui l'empreinte de la splendeur d'antan. Le palais Michel est le plus grand des bâtiments du Musée russe. En 1916, vu l'accroissement de ses collections, on lui annexa le bâtiment Benois, construit par l'architecte S. Ovsianikov d'après le projet de Léonti Benois. Aujourd'hui, plusieurs autres édifices ont été également annexés au musée : le château des Ingénieurs, le palais Stroganov et le palais de Marbre. Véritable « encyclopédie des arts », le Musée russe renferme dans ses fonds d'une richesse exceptionnelle, des peintures depuis le XIe siècle jusqu'à nos jours ainsi que la plus grande collection de sculptures russes. En 1950, un Département d'art populaire y a été ouvert où l'on peut voir des œuvres créées par le peuple russe à partir du XVIIe siècle : rouets, samovars, châles, dentelles, broderies, céramiques. Le musée possède en outre une splendide collection de procelaines et de faïences, de verreries, de tapisseries. Les collections du musée ne cessent de s'enrichir d'œuvres de première qualité.

Place des Arts. Monument de Pouchkine (au fond le Musée russe). 1957. Par Mikhaïl Anikouchine

Musée russe. L'Archange saint Gabriel (L'Ange aux Cheveux d'Or). XIIe siècle
Les expositions du Musée russe s'ouvrent par une superbe collection d'icônes datant
des XIe – XIIIe siècles, dont l'une des plus remarquables est celle de L'Ange aux Cheveux d'Or. On y trouve également
quelques œuvres d'Andreï Roubliov et de Simon Ouchakov, les plus célèbres peintres d'icônes russes. Le Département
de l'art ancien du Musée russe est l'un des plus riches en Russie. On peut y passer des journées entières à admirer
les œuvres en s'imprégnant de la félicité qui s'en dégage et essayant de pénétrer les mystères de l'existence.

Vladimir Borovikovski. Portrait de Lopoukhina. *1797*

La collection de tableaux datant des XVIIIᵉ – XXᵉ siècles constitue la fierté du musée et permet au visiteur de se faire une idée du développement de la peinture en Russie présentée par tous les grands peintres. Au XVIIIᵉ siècle, les portraits et les tableaux historiques étaient particulièrement à l'honneur. Jusqu'à cette époque, le portrait n'existait pas en Russie, et l'Académie des beaux-arts le considérait comme un genre minime. Le développement du portrait en Russie au XVIIIᵉ siècle a été fulgurant. Y contribuèrent de nombreux peintres doués, tels que : Ivan Nikitine, Andreï Matveïev (au début du siècle); Alexis Antropov (au milieu du siècle); Feodor Rokotov, Ivan Argounov, Dimitri Levitski et Vladimir Borovikovski (à la seconde moitié du XVIIIᵉ siècle). La mode du portrait envahit rapidement la société : les nobles, surtout les hauts dignitaires de la cour, se faisaient portraiturer, mais de préférence par des peintres étrangers. Les tableaux des maîtres russes ne furent appréciés que beaucoup plus tard.

Anton Lossenko (1737–1773) s'est formé à l'Académie des beaux-arts. Il est considéré comme le premier peintre de tableaux historiques en Russie. Le néo-classicisme naissant, en combinaison avec le baroque agonisant mais qui se maintenait encore, engendraient des personnages de beauté outrée, aux poses et aux gestes artificiels. Une salle entière est consacrée à l'œuvre de Karl Brullov, un adepte fervent du néo-classicisme. Cependant, il fut aussi parmi les premiers à s'écarter des canons esthétiques prescrits par l'académie. Pour

Ilya Repine. Cosaques écrivant une lettre au sultan turc. *1891*

Karl Brullov. Le Dernier Jour de Pompéi. *1830–1833*

la première fois en Russie, un tableau – *Le Dernier Jour de Pompéi* – ne traitait pas un seul personnage mais tout un peuple. Les salles du musée offrent également un large éventail d'œuvres de peintres académiques d'une époque plus tardive tels Konstantin Flavitiski, Heinrich Semiradski ou encore Ivan Aïvazovski. Celui-ci, un des plus grands marinistes russes, est présenté par un grand nombre de ses tableaux dont sa célèbre *Lame de fond*. On peut se faire une idée du courant réaliste d'après les toiles d'Alexis Venetsianov et celles de peintres de son école, ainsi que par des œuvres d'Alexis Ivanov, de Pavel Feodotov et d'autres peintres tout aussi célèbres. La seconde moitié du XIXᵉ siècle est présentée par des tableaux de peintres adhérents à la Société d'expositions ambulantes : Alexis Savrassov, Feodor Vassiliev, Ivan Chichkine... La fin du XIXᵉ et le début du XXᵉ siècle sont illustrés par des œuvres de peintres appartenant aux plus célèbres groupements artistiques de l'époque : Société d'expositions ambulantes, Le Monde de l'art, La Rose bleue, Le Valet de carreau, etc.

Le Département de la sculpture est extrêmement riche. On peut y voir des statues depuis le XVIIIᵉ siècle jusqu'à nos jours.

Valentin Serov. Portrait du comte Félix Soumarokov-Elston, prince Youssoupov. *1903*

Quelques salles du Musée russe sont consacrées à la période soviétique. De toutes les collections, celle des tableaux de Pavel Filonov (1883–1941), l'un des chefs de file de l'avant-garde russe du début du XXᵉ siècle, est particulièrement riche. Filonov développa les principes de l'art analytique présentés dans son œuvre-clé *Le Canon et la Loi* (1912). Filonov proposa une autre voie, celle de la construction de la forme en allant du particulier au général : « Laisse les objets se développer en allant du particulier, d'un particulier ayant atteint la perfection, et tu verras alors apparaître la généralité authentique, une généralité à laquelle tu ne t'attendais même pas ». Il défendait le principe de l'accroissement organique de la forme picturale qui devait se développer d'elle-même, tout comme elle le faisait dans la nature. L'un des principes primordiaux de la méthode analytique est celui de l'agencement,

aussi procédait-il par petites touches, à l'aide d'un pinceau très fin, de façon que chacune d'entre ces touches devienne une « unité d'action », forme et couleur à la fois. Il appelait les peintres à reproduire chaque atome « avec opiniâtreté et précision », en y introduisant, en y « travaillant », la couleur. C'est ainsi qu'en créant des œuvres d'après des modèles vivants, Filonov préconisa les idées de la bionique, apparue des dizaines d'années plus tard. Dans chaque objet, il voyait non seulement la couleur et la forme mais aussi « tout un monde de phénomènes visibles et invisibles », se donnant pour objectif de les exprimer dans ses tableaux et développant son précepte de « l'œil qui voit » et de « l'œil qui sait ».

Filonov combattait l'urbanisme et la civilisation mécanique, inhumaine, qui estropiait l'homme autant physiquement que spirituellement. Il était convaincu que la rupture avec la

Pavel Filonov. Mardi gras. *1913–1914*

Konstanti Petrov-Vodkine. La Vierge de Tendresse des Cœurs Endurcis. *1914–1915*

nature signifiait le retour de l'homme à l'état sauvage, il opposait à la brutalité du monde actuel ses idées utopiques de l'existence juste et fraternelle. L'avenir de l'homme résidait pour lui dans la pureté archaïque, dans les archétypes anciens, il rêvait d'un monde dans lequel les homme vivraient en fraternité, sans animosité et contrainte, dans lequel les animaux possèderaient des traits humains et les hommes des traits d'animaux.

Konstantin Petrov-Vodkine (1878–1939) est l'un des plus brillants représentants de l'art russe du début du XXᵉ siècle. Il se forma comme peintre au moment où la société russe découvrait l'icône en tant que phénomène artistique. Petrov-Vodkine créa son propre système : « la science de voir ». Ce système supposait une nouvelle palette ainsi qu'une méthode originale basée sur la perception de l'espace et sur sa transformation sur la surface du tableau. Il considérait que dans n'importe quel genre il fallait exprimer la participation à l'univers de l'objet représenté. Il donna même le moyen de le faire

en créant une perspective « sphérique » ou « inclinée », avec une ligne d'horizon très haute retombant sur les parties latérales du tableau. On avait alors l'impression que le peintre voyait la Terre depuis un point très élevé, d'où cette perception « planétaire » de l'objet reproduit qui ne faisait qu'un avec le cosmos. Le nouveau système pictural concernait également la théorie des couleurs. En étudiant les icônes, les œuvres de vieux maîtres occidentaux, Petrov-Vodkine était arrivé à la conclusion qu'il fallait bâtir le coloris à partir de combinaisons faites avec les trois couleurs principales : le rouge, le bleu et le jaune, prises dans des tonalités différentes. En appliquant ce système, Petrov-Vodkine arrivait à obtenir les harmonies les plus subtiles.

Les collections du Musée russe compte aujourd'hui quelque 400 000 œuvres – peintures, arts graphiques, sculptures, arts appliqués — qui nous dressent un tableau exhaustif du développement des arts en Russie.

La Perspective Nevski, la rue Mikhaïlovski et le Grand Hôtel Europe.
Architectes Luigi Fontana. Vers 1870; Feodor Lidval. 1910–1912

Le palais Michel forme l'axe de l'ensemble de la place des Arts, l'œuvre-maîtresse de Carlo Rossi. Cette place doit son nom aux théâtres et aux salles de concert qui la délimitent : à l'ouest, le Petit Opéra, au sud, la Philarmonie Chostakovitch et le Théâtre de l'Opérette. La Philarmonie occupe l'ancien bâtiment de l'Assemblée de la Noblesse, construit par Paul Jacot de 1834 à 1839. Dans ce bâtiment se trouve une grande salle de danse et de concert pourvue de hautes colonnes blanches et pouvant contenir jusqu'à mille cinq cents spectateurs. Cette salle a accueilli les plus grands chanteurs et musiciens du monde : Pauline Viardot, Richard Wagner, Gustav Mahler, Richard Strauss, Piotr Tchaïakovski, Modeste Moussorgsky, Alexandre Glazounov. En août 1942, en plein blocus, l'orchestre de la Philarmonie y interpréta la 7ᵉ symphonie de Chostakovitch.

Non loin de cet endroit, toujours sur la place, dans les sous-sols de l'un des bâtiments, se trouvait autrefois le célèbre Théâtre-Cabaret *Le Chien errant*, dont les murs étaient peints par des peintres en vogue au début du XXᵉ siècle (notamment par Sergueï Soudeïkine). Les poètes Anna Akhmatova, Nikolaï Goumiliov et Ossip Mandelstam y venaient souvent.

Grand Hôtel Europe.
Restaurant Europe

Le long de la rue Mikhaïlovskaïa reliant la place des Arts à la perspective Nevski s'étend l'un des plus luxueux hôtels de Saint-Pétersbourg, le Grand Hôtel Europe. Construit vers 1870 par Luigi Fontana dans le style éclectique, il fut remanié en 1914 par Feodor Lidval, l'un des plus célèbres architectes du style Art Nouveau. Il redessina entièrement le plan de l'hôtel et refit son décor intérieur. Particulièrement réussie est l'association de motifs classiques stylisés et du décor plat. Le décor raffiné et sévère des intérieurs illustre le style Art Nouveau dans sa version saint-pétersbourgeoise.

La perspective Nevski est un organisme vivant qui ne cesse de se développer. Tous les tsars, en commençant par Pierre Ier, ont contribué à sa splendeur: Appelée fréquemment « l'âme de Saint-Pétersbourg », elle est le symbole et la personnification de la ville de Pierre le Grand. S'y trouvent concentrés musées, théâtres, salles de concert et de cinéma, bibliothèques, magasins, banques, restaurants, cafés.. Deux rues piétonnes perpendiculaires à la perspective viennent d'être aménagées : la Petite Rue des Ecuries et la Petite Rue des Jardins. Il est très agréable de s'y promener aujourd hui, de prendre une tasse de café dans les cafétérias des alentours ou encore de faire quelque achat dans les magasins. On remarquera également deux sculptures originales, tout à fait en marge des monuments traditionnels de la ville : le Sergent de ville et le Photographe.

Petite-Rue-des-Jardins. Photographe. 2001

Petite-Rue-des-Jardins. Rue piétonne

Le Théâtre-Alexandra. 1828–1832. Architecte Carlo Rossi, sculpteurs Vassili Demuth-Malinovski et Stepan Pimenov

a perspective Nevski est semée de charmants squares. Au milieu de l'un d'eux se dresse la statue de Catherine II. Elle fut érigée en 1873 par les plus éminents sculpteurs de l'époque. Vêtue d'un manteau d'hermine et tenant un sceptre dans sa main, l'impératrice est représentée au milieu de ses contemporains célèbres : Ekaterina Dachkova, présidente de l'Académie des Sciences, Ivan Betskoï, promoteur de l'instruction pédagogique en Russie, l'amiral Vassili Tchitchagov, le vice-chancelier Alexandre Bezborodko, le poète Gavriil Derjavine, le généralissime Alexandre Souvorov, le feld-maréchal Piotr Roumiantsev, le prince Grigori Potiomkine et le comte Alexeï Orlov.

Le square forme le centre d'une place qui fut créée en 1828 par Carlo Rossi. Rossi réaménaga le terrain qui s'étendait entre la perspective Nevski et la rivière Fontanka en agrandissant le bâtiment de la Bibliothèque nationale, érigée au début du XIXe siècle. La façade néo-classique de la bibliothèque est décorée de statues de philosophes grecs. L'attique est surmonté de la statue de Minerve, assise l'égide à la main. Les génies de la gloire font écho au décor sculpté du Théâtre-Alexandra. La place est délimitée au sud par le remarquable édifice du Théâtre-Alexandra, appelé ainsi en l'honneur de l'épouse de Nicolas Ier, l'impératrice Alexandra Feodorovna. Au début, tous les sièges dans ce théâtre étaient tapissés de tissu bleu, les bleuets étant les fleurs préférées de l'impératrice. Le théâtre répondait aux dernières conception de l'architecture : pour la première fois en Russie, les couvertures de l'édifice, de la scène et de la salle de spectacle étaient en métal. Le théâtre donna son nom à la place qui s'étalait devant son entrée principale : la place Alexandra, devenue place Ostrovski en 1923, en l'honneur du célèbre dramaturge russe. La façade qui donne sur cette place s'ouvre sur une loggia à six colonnes corinthiennes. L'attique est surmonté du char d'Apollon, le protecteur des arts. La façade opposée donne sur la rue qui porte le nom de son créateur, l'architecte Rossi (autrefois rue Théâtrale). Longue de 220 mètres, elle a une largeur de 22 mètres. Bordée de trois édifices symétriques, décorés de colonnes doriques, de 22 mètres de haut, cette rue évoque quelque galerie de palais ou un splendide décor de théâtre.

En 1836, sur la scène du théâtre l'on donna la première représentation de la comédie de Gogol *Le Révizor*. Dans le répertoire du théâtre figurent des pièces de Pouchkine, Griboïedov, Lermontov, Tolstoï...

Monument de Catherine II. 1873. Sculpteurs David Grimm, Mikhaïl Mikechine, Alexandre Opekouchine, Matveï Tchijov et Victor Schroeter.

Le Pont Anitchkov. *Année 1840*
Aquarelle par V.Sadovnikov

Pont Anitchkov. Dompteur de chevaux.
Groupe sculpté. 1846–1850. Par Piotr Clodt

Saint-Pétersbourg est la ville des palais. Depuis sa fondation, elle a été habitée par la famille impériale et par l'aristocratie qui invitait les meilleurs architectes pour se faire élever de somptueuses demeures. Au XVIIIe siècle, la majorité des palais n'étaient que de simples propriétés situées en dehors de la ville. Avec le temps, lorsque Saint-Pétersbourg déborda de ses limites, elles se trouvèrent englouties par la ville, ce qui entraîna leur reconstruction. C'est ainsi qu'apparut le palais Biélosselski-Biélozerski situé au croisement de la perspective Nevski et du quai de la Fontanka et remanié aux années 1840 par Andreï Stackenschneider. L'architecte le dota de façades baroques, peut-être pour faire écho au palais Stroganov (érigé par Rastrelli), que l'on peut voir sur la perspective, près de l'Amirauté. En 1884, le palais Biélosselski-Biélozerski devint la résidence du grand-duc Serguëi Alexandrovitch, puis celle du grand-duc Dimitri Pavlovitch, son dernier propriétaire avant la révolution de 1917. Actuellement, le palais abrite un centre culturel.

A côté du palais, la Fontanka est enjambée par le pont Anitchkov, l'un des plus célèbres de Saint-Pétersbourg. Il porte son nom en l'honneur de l'officier Anitchkov qui dirigeait les travaux de construction du premier pont à cet endroit, qui était en bois. Reconstruit plusieurs fois, le pont conserva néanmoins son nom d'origine. En 1841–1850, il fut décoré de quatre groupes sculptés dus à Piotr Clodt. Ils représentent des scènes de dressage des chevaux.

*Pont Anitchkov. Dompteur de chevaux.
Groupe sculpté. 1846–1850. Par Piotr Clodt*

*Palais Biélosselski-Biélozerski. 1846–1848
Architecte Andreï Stackenschneider, sculpteur David Jensen*

Laure Saint-Alexandre-Nevski. La cathédrale de la Trinité. 1776–1790
Architecte Ivan Starov

*L*a perspective Nevski aboutit à la laure Saint-Alexandre-Nevski qui donna son nom à la perspective. La laure est presque aussi vieille que la ville. Pierre Ier donna l'ordre d'ériger un grand monastère d'hommes consacré à saint Alexandre Nevski en 1710 et choisit lui-même l'endroit : au confluent de la Néva avec la rivière Monastyrka, à l'endroit supposé de la victoire du prince Alexandre Nevski sur les Suédois en 1240. Une première église en bois fut construite en 1712, après quoi l'on commença à édifier tout le monastère d'après les dessins de Domenico Trezzini.

Saint-Pétersbourg à l'époque n'avait pas encore de reliques, aussi Pierre donna-t-il l'ordre de transporter la dépouille du prince Alexandre Nevski (cannonisé par l'Eglise en 1545) de Vladimir à Saint-Pétersbourg. Ces reliques furent solennellement transportées dans la ville le 30 août 1724, jour du troisième anniversaire de l'achèvement de la guerre du Nord. Cet événement symbolisait la continuation des efforts des tsars de Russie dans leur lutte pour un débouché sur la mer Baltique. C'est ainsi que Saint-Pétersbourg se trouva placé sous la protection divine.

L'ensemble de la laure Saint-Alexandre-Nevski, dont le centre architectural est la cathédrale de la Trinité, s'est formé au cours de quelque 70 ans. Mais le projet initial a été élaboré au début du XVIIIe siècle par Domenico Trezzini et Theodore Schwertfeger. Il renferme 11 églises, les cellules des moines et plusieurs cimetières. Dès l'époque de Pierre le Grand, ce fut la nécropole de la famille impériale, d'importants hommes politiques, de chefs militaires, de savants et de personnages importants de la culture russe. Fermée au culte après la révolution, la laure vient d'être rendue à l'Eglise.

Laure Saint-Alexandre-Nevski. Tout nord-ouest. 1758–1770. Architecte Piotr Trezzini

Les cinq coupoles de la cathédrale du couvent
Smolny (de la Résurrection-du-Sauveur)

Cathédrale du couvent Smolny. Architectes Bartolomeo Francesco Rastrelli 1748–1762 ; Vassili Stassov 1832–1835

'ensemble du couvent Smolny, magnifique échantillon du baroque russe, s'étend sur la rive gauche de la Néva où se trouvait autrefois la cour de goudron, puis, au milieu du XVIIIᵉ siècle, un petit palais. C'est ici qu'à la veille de son quarantième anniversaire, la tsarine Elisabeth fit élever un couvent, le futur couvent de la Résurrection-du-Sauveur, appelé couramment le Smolny. Les travaux furent confiés à Bartolomeo Francesco Rastrelli. L'architecte adapta son œuvre aux goûts de l'impératrice en l'imaginant comme un véritable palais. Elisabeth voulait le voir couronné des cinq coupoles traditionnelles en Russie, à l'image de la cathédrale de la Dormition du Kremlin de Moscou. L'architecte respecta la volonté de son auguste cliente et accola les bulbes au tambour de la coupole centrale, harmonisant ainsi l'ensemble avec le massif inférieur. La cathédrale principale se trouve inscrite dans un carré délimité par les cellules des religieuses, le réfectoire, la bibliothèque et quatre églises secondaires aux angles.

A la mort de l'impératrice, pendant la guerre de Sept Ans, les travaux furent interrompus. Rastrelli avait prévu, à l'entrée du couvent, un énorme clocher haut de 140 mètres, mais Catherine II renonça à cette idée. Elle donna l'ordre d'achever les travaux, et l'ensemble abrita alors l'Institut Smolny, le premier établissement scolaire pour jeunes filles en Russie. Plus tard, Giacomo Quarenghi érigea à ce but un bâtiment spécial (1806–1808) situé plus au sud. Dans ce bâtiment aux longs couloirs, les élèves suivaient des cours de langues étrangères, de mathématiques, de dessin, de danse, de couture, d'éducation religieuse et de bonnes manières. Les règles étaient très sévères. De style néo-classique, l'édifice s'est parfaitement bien conservé vu son rôle pendant les événements révolutionnaires en 1917 et depuis lors. Siège du Soviet des députés ouvriers, matelots et soldats de Petrograd en 1917, le bâtiment abrite aujourd'hui le Gouvernement municipal de Saint-Pétersbourg.

Entre-temps, le style baroque était devenu caduc, et les travaux furent continués par Vassili Stassov qui effectua l'aménagement intérieur. L'ensemble, tel que nous le voyons aujourd'hui, est beaucoup plus simple que Rastrelli l'avait imaginé, tout en étant tout de même remarquable. Après la révolution, la cathédrale a été dépouillée de ses richesses puis fermée en 1923. Aujourd'hui, c'est une salle de concerts et d'expositions.

La Grande Néva

Les flots majestueux de la Néva ont enchanté Pierre le Grand, et c'est le long de ses rives qu'il décida de construire Saint-Pétersbourg, son « Paradis ». Le rôle que joua la Néva dans l'histoire russe est très important. Durant de longues années, encore à l'époque slave, le fleuve joua un rôle primordial dans le commerce, reliant le pays d'un côté à l'Europe, de l'autre à la Volga et, par son intermédiaire, au Caucase et à l'Asie centrale, ainsi qu'au Dniepr par lequel passait la fameuse « Voie des Varègues aux Grecs ». C'est par la Néva que le légendaire Riourik arriva sur les terres slaves pour y fonder le premier Etat russe. Le fleuve est profond et abonde en eau. Il ne déborde jamais à l'époque des crues et ne diminue pas en été. Son niveau reste toujours le même aussi bien en temps pluvieux que pendant la sécheresse. La rapidité de son courant l'empêche de geler pendant une grande partie de l'année.

La prospérité de la capitale dépendait étroitement du fleuve et, dès le début, la Néva en était l'artère principale. Cependant la Néva est aussi un fleuve perfide qui causa beaucoup de dégats. Aucune ville du monde n'est à l'abri des incendies et des épidémies, mais les inondations ne sont vraiment typiques qu'à Saint-Pétersbourg. Pierre Ier n'encourageait pas la construction de ponts, considérant que les Pétersbour-geois devaient circuler dans des bateaux. Le premier d'entre eux, un pont flottant — le pont Saint-Isaac — a été construit seulement après la mort du tsar, en 1727. Les autres devaient enjamber la Néva beaucoup plus tard. Le dernier à être construit avant la révolution est le pont du Palais.

Le pont du Palais et la Kunstkammer. 1912–1916. Architecte L. Noskov, ingénieur A. Pchenitski

Le pont de la Trinité (autrefois pont de Saint-Pétersbourg, puis pont Souvorov,
puis pont Kirov) et la forteresse Pierre-et-Paul. 1897–1903. Architectes V. Chabrol, P. Patouillard
Ce pont a été ouvert en mai 1903 pendant les fêtes du bicentenaire de la fondation de Saint-Pétersbourg.
Le projet du pont fut proposé par la Compagnie des Batignolles qui remporta le premier prix au concours
international. Mais conformément au contrat, les travaux étaient effectués par des ouvriers et des spécialistes russes.

aint-Pétersbourg est un véritable musée de ponts : il y en a près de 350. En pierre, fonte, acier, ils présentent les plus différentes techniques de construction. Le premier pont de Saint-Pétersbourg – le pont Saint-Isaac, un pont flottant – exista jusqu'en 1916. Il fallait le démonter chaque années pendant la débâcle, puis le remonter. Peu solide, il n'embellissait pas les quais de granit de la Néva. En 1916, le pont brûla entièrement, et l'on pouvait voir des blocs enflammés flottés sur les eaux du fleuve. De ce pont, il ne reste aujourd'hui que les culées.

Le premier pont permanent – le pont de l'Annonciation – vint enjamber la Néva en 1850. Il devait son nom à l'église qui se trouvait autrefois dans les parages. En 1855, il fut rebaptisé pont Nicolas, puis, en 1918, pont du Lieutenant Schmidt. Sept arches en fonte reposaient sur de lourdes piles revêtues de granit. La huitième s'appuyait sur la rive de l'île Vassilievski et soutenait la travée mobile, construite sous forme de fermes métalliques grillagées, dernier cri de la technique. Entre 1936 et 1938, le pont fut entièrement reconstruit, avec le déplacement de la travée mobile au centre. Tel qu'on le voit aujourd'hui, le pont n'a rien de commun avec le pont originel, à l'exception des balustrades.

Vingt-cinq ans plus tard, un deuxième pont fut jeté sur la Néva : le pont Liteïny, construit en 1874–1879 d'après le projet et sous la direction de l'ingénieur A. Struve. Les arches, tout en étant plus grandes, rappelaient celles du pont Nicolas. La travée mobile giratoire était aménagée près de la rive gauche. Ce pont exista pendant 90 ans jusqu'au moment où il s'avéra trop petit pour la circulation et les bateaux de gros tonnage. Il fut reconstruit en 1965–1967 mais conserva ses anciennes balustrades dues à K. Rakhau. Le troisième pont à enjamber la Néva fut celui de la Trinité. Les travaux de construction commencèrent en 1897. Le méridian de Poulkovo passe le long de son axe. Du côté du Champ-de-Mars, l'entrée du pont est décorée de deux obélisques en granit. La partie centrale est constituée de cinq travées dont les dimensions augmentent vers le milieu du fleuve, ce qui rythme superbement les lignes de l'ensemble. La silhouette gracieuse du pont s'associe à des fermes en acier, constructions économes et novatrices à l'époque. Le décor du pont, typique du Modern Style, est dû aux architectes français V. Chabrol et P. Patouillard.

Pont du Lieutenant-Schmidt (pont de l'Annonciation, puis pont Nicolas). 1843–1850
Ingénieur S. Kerbedz, architecte A. Brullov

Pont Pierre-le-Grand (pont Bolcheokhtinski). 1911
Architecte V. Apychkov, ingénieur T. Krivocheïne

Le pont Pierre-le-Grand se trouve tout près du couvent Smolny, chef-d'œuvre du baroque russe, non loin de l'endroit où la rivière Okhtinka se jette dans la Néva. Projeté en même temps que le pont du Palais, il s'en distingue nettement. Si le premier devait enjamber la Néva dans un des plus beaux sites de Saint-Pétersbourg, au milieu de majestueux édifices, ce qui dictait son architecture, le deuxième allait se trouver à la limite de la ville, d'où son caractère pratique, rationnel, n'ayant rien de commun avec l'architecture raffinée du couvent. Un concours international fut lancé au tout début du XXᵉ siècle. La première pierre du futur pont fut solennellement posée le 27 juin 1909, jour du 200ᵉ anniversaire de la bataille de Poltava. Ce pont à rivures convient parfaitement à la navigation et impressionne par ses masses et ses travées, longues de 136 mètres. Deux tours en granit surmontent la travée mobile. Ce pont grandiose peut être cependant ouvert à la main.

La nuit, lorsque la ville est éclairée par des milliers de lampes se reflétant dans les eaux de la Néva, les ponts paraissent particulièrement beaux. Immobiles le jour, il se lèvent la nuit, en été, pour laisser passer les bateaux de gros tonnage. Des pilotes expérimentés tiennent le cap grâce aux signaux installés sur les ponts et sur les toits des bâtiments longeant la Néva. Le spectacle de la levée des ponts, surtout pendant la période des nuits blanches, est unique au monde et confère à Saint-Pétersbourg un charme particulier.

Le nombre de ponts enjambant la Néva ne cesse d'augmenter. En même temps, l'on modernise les anciens et l'on remplace les vétustes.

Ferme en acier du Pont Pierre-le-Grand

Peterhof

Peterhof ou Cour de Pierre (depuis 1944 Petrodvorets) est la ville des fontaines. Telle un superbe collier de diamants, elle évoque un conte de fées, semblant naître de l'écume de la mer. Ici, tout est assujetti à l'eau, l'élément préféré de Pierre Ier. Ce monument de triomphe à la gloire de la Russie fut la résidence de parade des tsars. L'idée de sa fondation appartient à Pierre Ier et date de 1705.

Aux années 1710, les travaux de construction avaient commencé. Le « Paradis » maritime fut inauguré le 15 août 1723. A l'endroit où, autrefois, ne s'étendaient que des rives désertes, maintenant un palais impressionnant se dressait. L'ensemble, tel qu'on le voit aujourd'hui, s'est formé aux cours de deux siècles grâce aux efforts accumulés d'architectes, de sculpteurs, de fontainiers, de jardiniers, d'hydrauliciens. Fortement endommagé pendant la Seconde Guerre mondiale, il a fallu près d'un demi-siècle pour le faire renaître de ses cendres. Le plan de l'ensemble est symétrique, ce qui se ressent partout. Le centre de gravité du parc Inférieur passe le long du canal Maritime bordé de fontaines alternant avec d'agréables allées ombragées.

Ce canal relie la mer à la Grande Cascade décorée du groupe sculpté Samson déchirant la gueule d'un lion.

Le Canal Maritime est un ouvrage hydraulique impressionnant. A l'origine, on accédait au Grand Palais par voie du canal, dans des petites embarcations, mais après l'aménagement de la Grande Cascade en 1735, il perdit sa fonction initiale, tout en conservant son rôle axial. Depuis 1918, l'ensemble de Peterhof est un musée.

Peterhof. Le Canal Maritime et l'Allée des fontaines depuis la Grande Cascade

Peterhof. Le Grand Palais et la Grande Cascade. Architectes Johann Braunstein, Jean-Baptiste Leblond et Niccolo Michetti. 1714–1724 ; Mikhaïl Zemtsov. Années 1730 ; Bartolomeo Francesco Rastrelli. 1747–1754

*L*es milliers de jets d'eau jaillissant des innombrables fontaines soulignent le caractère raffiné de l'ensemble de Peterhof, constitué par des palais, des pavillons, des jardins, des sculptures et des ornements en pierre. Ce qui frappe avant tout, c'est le Grand Palais que l'on aperçoit au sommet d'une terrasse naturelle. Celle-ci donne naissance à la Grande Cascade, l'une des fontaines les plus célèbres au monde. Aménagée dans l'épaisseur de la terrasse, elle semble porter le palais. Cette fontaine remonte à l'époque de Pierre le Grand, mais tout l'ensemble de Peterhof ne s'est formé qu'au cours des siècles. Grâce à de nombreuses générations d'architectes et de restaurateurs, il apparaît aujourd'hui comme une œuvre architecturale harmonieuse et homogène.

La Grande Cascade était appelée à glorifier la Russie et la victoire de Pierre le Grand dans la guerre du Nord. Le lion du groupe sculpté symbolisait la Suède vaincue par les armées russes. La Grande Grotte en pierre entourée de trois cascades en gradins, les fontaines jaillissantes, les statues dorées des dieux et des héros antiques – tout ici évoque quelque spectacle féerique et grandiose. L'eau laisse transparaître les statues de héros antiques : Zeus et son épouse Junon, Neptune, le dieu de la Mer, avec Amphitryon, Hercule, le Centaure...

Samson déchirant le gueule d'un lion est l'élément principal de la Grande Cascade. Ce groupe sculpté fut élevé à la mémoire du 25e anniversaire de la bataille de Poltava qui décida de l'issue de la guerre du Nord. Cette victoire des Russes eut lieu le jour de la Saint-Samson, d'où la composition du groupe. Le sculpteur Carlo Bartolomeo Rastrelli créa une allégorie dans laquelle Samson symbolisait Pierre et le lion la Suède (le lion figurait dans les armoiries suédoises). A la fin du XVIIIe siècle, le métal trop mou se trouva déformé de sorte qu'au début du XIXe siècle, l'on exécuta un autre groupe sculpté, cette fois d'après le modèle de Mikhaïl Kozlovski. Celui-ci fut emmené en Allemagne pendant la Seconde Guerre mondiale, et de nos jours encore son destin reste inconnu. En 1947, V. Simonov et N. Mikhaïlov reconstituèrent l'œuvre volée. C'est à Peterhof que l'on ressent particulièrement l'époque pétrovienne. On compare souvent l'ensemble avec Versailles. Pierre s'inspira en effet du château royal. Mais Peterhof possède tout de même son propre style.

Peterhof. Samson déchirant la gueule d'un lion. Bronze doré. Sculpteur Carlo Bartolomeo Rastrelli. 1735 ; Mikhaïl Kozlovski. 1802

Peterhof. Le Grand Palais. L'Escalier d'honneur. Années 1750. Architecte Bartolomeo Francesco Rastrelli

Peterhof. Le Grand Palais. Le Salon de Toilette. Années 1750
Architecte Bartolomeo Francesco Rastrelli

Le Grand Palais constitue le centre architectural de tout l'ensemble de Peterhof. Le tout premier palais remonte aux années 1710. Il fut construit par Niccolo Michetti et Mikhaïl Zemtsov alors que la Russie se trouvait en pleine guerre du Nord. Après la victoire, il fut agrandi. Aux années 1740, la tsarine Elisabeth le fit entièrement reconstruire par Bartolomeo Francesco Rastrelli qui le transforma en une splendide résidence impériale. Longue de 300 mètres, sa façade donnant sur la mer est pourtant loin d'être monotone : le génie de Rastrelli inscrivit le palais dans le cadre de la nature environnante, créant une superbe œuvre, glorifiée par les plus grands poètes, une œuvre où « l'ici-bas et l'au-delà ne formaient qu'un tout ». Les nombreuses modifications n'altérèrent pas la conception initiale du palais de Rastrelli. De nos jours encore, c'est un ensemble homogène, même s'il reflète les goûts et les tendances qui ont fait loi pendant des siècles : baroque, rococo, néo-classicisme. Le décor intérieur de toutes les salles répondait au cérémonial de la cour qui, au cours des années, devenait de plus en plus compliqué et pompeux. L'Escalier d'honneur ouvre la marche. L'une des plus remarquables pièces de l'enfilade nord – le Salon de Toilette – renferme un véritable chef-d'œuvre d'art appliqué : il s'agit d'un miroir encadré d'argent que Louis XV avait envoyé comme cadeau diplomatique à l'impératrice Elisabeth. Le portrait de l'impératrice qui le surmonte est dû au pinceau de Carl Van Loo.

Grand Palais. Sculpture de l'escalier d'apparat

*Peterhof. Le Grand Palais et la Grande Cascade. Architectes Johann Braunstein, Jean-Baptiste Leblond
et Niccolo Michetti. 1714–1724 ; Mikhaïl Zemtsov. Années 1730 ; Bartolomeo Francesco Rastrelli. 1747–1754*

*Peterhof. Cascade de la Montagne de l'Echiquier (ou de la Montagne des Dragons).
Architectes Niccolo Michetti, Johann Braustein. 1722–1730 ; Mikhaïl Zemtsov. 1731–1732*

Peterhof. Neptune. *Sculpteurs H. Richter, G. Schweiger, E. Eisler. 1652–1660.* Apollon. *Copie d'un original grec. Années 1970*

ierre Ier aimait les fontaines et il les introduisit dans l'usage russe. Jusqu'à lui, il n'y en avait pas en Russie, alors qu'en Europe elles étaient connues depuis longtemps. Les fontaines de Peterhof, aussi bien d'ailleurs que l'ensemble en général, devaient symboliser la domination russe sur la mer Baltique. Les fontaines sont l'âme de Peterhof, elles constituent sa gloire, sa renommée mondiale. Leur diversité éblouit, mais particulièrement populaires sont les fontaines surprises *Le Sapin*, *Le Chêne* ou encore *Le Parapluie chinois*, situées de part et d'autre de l'allée de Monplaisir. Tous, aussi bien les enfants que les adultes, prennent un véritable plaisir à se voir brusquement asperger d'eau.

L'allée de Monplaisir mène dans la partie sud du parc Inférieur, vers sa plus grande place d'où un magnifique panorama s'ouvre sur la Cascade de la Montagne des Dragons, la fontaine principale du parc Inférieur, remarquable échan-

tillon d'art appliqué du premier tiers du XVIIIe siècle. Installée en 1721 après la signature de la paix de Nystadt, elle fut plusieurs fois remaniée. Trois dragons ailés gardent l'entrée de la Grotte Supérieure. De leurs gueules ouvertes l'eau coule à longs flots sur le versant long de 32 mètres, vers la Grotte Inféreure. De part et d'autre de la cascade s'alignent 10 statues italiennes du XVIIIe siècle, toutes en marbre blanc. La fontaine est également connue comme celle de la Montagne de l'Echiquier, vu les trois gigantesques damiers qui recouvrent le versant.

La fontaine *Neptune* ornant le parc Supérieur a un demi-siècle de plus que Peterhof. Exécutée à Nuremberg, elle ne fut jamais installée dans cette ville. Elle est restée démontée jusqu'à ce que le grand-duc Paul ne la vît en 1782, pendant son voyage en Europe. Elle fut achetée et installée à Peterhof en 1799. La fontaine est traditionnellement décorée d'une petite cascade à trois degrés. A côté d'elle, on peut voir la statue d'Apollon du Belvédère, exécutée d'après un original antique.

Peterhof. Monplaisir. Façade sud. Architectes Johann Braunstein, Jean-Baptiste Leblond, Niccolo Michetti. 1714–1723

ierre Ier se plaisait beaucoup dans son palais de Monplaisir, c'est ainsi qu'il était à la mode d'appeler les résidences intimes perdues dans la nature. Le palais donna son nom à tout l'ensemble situé dans la partie est du parc Inférieur. Outre le palais lui-même, il comprend plusieurs jardinets – de véritables chefs-d'œuvre –, un labyrinthe et trois courtines avec des fontaines surprises. Pierre choisit lui-même l'endroit où devait s'élever le palais – tout au bord de la mer –, en dessina le plan et surveilla personnellement les travaux.

La façade sud s'étend sur 73 mètres. Grâce aux galeries vitrées, le bâtiment paraît léger. L'absence de crépi sur les murs laisse voir les briques rouges ; les joints sont remplis de plâtre. Ce genre de façade était typique des maison hollandaises au XVIIe siècle, aussi Monplaisir a-t-il un second nom : la Maison Hollandaise. Les intérieurs, simples et élégants, ont été également aménagés dans le goût hollandais. Au centre du bâtiment se trouve la Salle d'apparat autour de laquelle se groupent trois par trois le Cabinet de Laque, le Cabinet Maritime, la Chambre à coucher, la Salle des Secrétaires, la Cuisine et l'Office. Le palais est flanqué de deux galeries et de deux *Lusthaus*. Toutes les modifications ultérieures ne purent effacées l'empreinte de l'époque pétrovienne qui se ressent dans chaque objet. La Salle d'apparat conserve son décor intérieur, tel qu'il était à l'époque du tsar. Les meubles ont été reconstitués d'après des dessins.

On peut y voir aujourd'hui de superbes échantillons de meubles hollandais et allemands du début du XVIIIe siècle. Les murs sont décorés d'œuvres hollandaises et flamandes. C'est à Monplaisir que se trouvait la collection de tableaux de Pierre Ier, la première galerie de peintures en Russie.

Le jardin qui s'étend devant Monplaisir est aménagé à la française, avec des allées bien droites, agrémentées de sculptures placées sur de jolis piédestaux (reconstitués après la dernière guerre), dont *Satyre au chevreau* et *Apollon* (d'après des originaux antiques) ainsi que *Bacchus* (d'après l'original de D. Sansovino).

Peterhof. Monplaisir. Salle d'apparat

Tsarskoïé Selo

La ville de Pouchkine possède le pouvoir magique d'attirer les visiteurs à n'importe quel moment de l'année. Le Grand Palais Catherine, le palais Alexandre, les parcs agrémentés de pavillons, les sculptures et autres éléments de décor se sont conservés ici presque sans modifications. Au début du XVIIIe siècle, Pierre Ier, offrit ces terres, où se trouvait alors une métairie suédoise – Saarskaya Mysa –, à son épouse Catherine Ire qui se fit construire un petit palais en pierre. A partir de 1725, la Mysa devint résidence impériale et porta le nom de Tsarskoïé Selo. Le petit palais de la première impératrice de Russie fut entièrement reconstruit par Bartolomeo Francesco Rastrelli sur ordre de la tsarine Elisabeth. Catherine II lui fit rajouter plusieurs édifices : la Chapelle, le pavillon Zoubov, les Bains Froids avec le pavillon d'Agate, le jardin Suspendu et la galerie de Caméron. En 1792–1800, l'on construisit encore le palais Alexandre (par Giacomo Quarenghi) destiné au petit-fils de l'impératrice, le futur Alexandre Ier. L'ensemble de Tsarskoïé Selo comprend également le Lycée, fondé ici en 1811. Ce lycée est célèbre grâce à Alexandre Pouchkine qui y fit ses études jusqu'à 1817. Depuis 1937, Tsarskoïé Selo porte le nom du grand poète russe. En 1949, un musée a été ouvert dans le Lycée.

Tsarskoïé Selo. Le Grand Palais Catherine. Architecte Bartolomeo Francesco Rastrelli. 1752–1756

Tsarskoïé Selo. Le Grand Palais. Salle des Tableaux
Architecte Bartolomeo Francesco Rastrelli. 1752–1756

vec sa façade longue de 310 mètres, le Grand Palais Catherine est le plus grand édifice datant de l'époque de l'épanouissement du baroque en Russie. L'escalier d'honneur mène à l'enfilade d'apparat constituée de splendides salles toutes resplendissantes de dorures, ornées de miroirs et d'ambre. La Grande Salle est la plus vaste et la plus somptueuse. Avec ses 800 m² et sa profusion de dorures, elle impressionnait les visiteurs, mais c'étaient ses énormes fenêtres qui frappaient le plus. Les vitres coûtaient chers à l'époque, il fallait aussi garder la chaleur, de sorte que les fenêtres dans ce climat septentrional étaient petites et peu nombreuses.

Rastrelli rompit résolument avec cette tradition en perçant dans les murs des énormes baies entre lesquelles il installa des miroirs encadrés d'or. Du temps des tsars, on allumait des bougies devant ces miroirs, ce qui donnait l'illusion d'un espace infini.

Mais même les fenêtres et les miroirs n'éblouissaient pas autant que le Salon d'Ambre décoré par Rastrelli de panneaux en ambre de variétés différentes. Les contemporains l'appelaient la « huitième merveilles du monde ». Ces panneaux furent exécutés en Prusse, réputée pour le travail de l'ambre dont la mode avait gagné l'Europe au milieu du XVIIIᵉ siècle. Le projet du salon qui devait orner le palais des rois de Prusse, est dû à Andreas Schlüter, alors que les panneaux furent exécutés par Gottfried Tarau et par G. Tusso.

Invité en Russie par Pierre Iᵉʳ, l'architecte fit part de son projet au tsar. Bientôt, les panneaux furent offerts par Frédéric-Guillaume Iᵉʳ de Prusse à Pierre le Grand pour décorer les murs de son troisième palais d'Hiver.

Transportés solennellement à Tsarskoïé Selo, ils furent utilisés plus tard par Bartolomeo Francesco Rastrelli pour aménager le Salon d'Ambre qui leur rajouta des panneaux de mosaïque florentines. En octobre 1941, lorsque les nazis envahirent Tsarskoïé Selo, l'ensemble du salon a été démonté et envoyé à Königsberg où ses traces se sont perdues. A l'heure actuelle, il n'est toujours pas retrouvé, et les restaurateurs russes s'appliquent à reconstituer tout l'ensemble.

Tsarskoïé Selo. Le Grand Palais Catherine. Le Salon d'Ambre. Architecte Andreas Schlüter. 1710–1713

Tsarskoïé Selo. Parc Catherine. Pont Palladio (Pont de Marbre ou de Sibérie)
Architecte Vassili Neïelov. 1770–1776

Tsarskoïé Selo. Monument à Alexandre Pouchkine dans le jardin du Lycée. Sculpteur Robert Bach. 1900

Pavlovsk

Situé non loin du brillant Tsarskoïé Selo, Pavlovsk, avec son Grand Palais et ses romantiques jardins, peut être rangé parmi les meilleurs ensembles du monde. Ce n'est pas par hasard si Charles Cameron, l'architecte préféré de Catherine II, auquel l'on doit l'idée de l'union harmonieuse de la nature et de l'architecture, commença son activité en Russie précisément par l'aménagement du parc de Pavlovsk. Les travaux de construction du palais commencèrent en 1782; un an après, le gros de était déjà fait. L'aspect du palais est typique de la fin du XVIIIᵉ siècle, avec sa préférance pour le néo-classicisme, mais la manière individuelle de Charles Cameron se trahit dans un grand nombre d'éléments. Vu le caractère varié du terrain – cours sinueux de la rivière Slavianka, collines entrecoupées de vallées, prés verdoyants – ses façades sont toutes différentes. Ainsi, du côté de la Slavianka il ressemble à une gentilhommière russe, alors que la façade adressée à la cour d'honneur, avec ses colonnes corinthiennes, est typique du néoclassicisme et évoque un palazzo italien. Le parc de Pavlovsk, le plus étendu et certainement le plus pittoresque en Europe, abrite un grand nombre de pavillons, sculptures, ponts et cascades qui égayent la triste et discrète nature septentrionale. Les noms que portent les allées du parc sont pleins de mystère et d'enchantement : l'allée des Champignons, l'allée de la Dame-Verte, le sentier du Brave-Camarade, etc. L'impératrice Maria Feodorovna, pour laquelle Pavlovsk était la résidence préférée car elle lui rappelait le domaine de ses parents à Montbéliard, organisaient souvent dans le parc des promenades et toutes sorte de divertissements pour ses invités.

Vue du Grand Palais depuis la Triple-Allée-de-Tilleuls. Architectes Charles Cameron, 1782–1786 ; Vincenzo Brenna, 1796–1799

Paul Iᵉʳ. 1872
Copie libre de l'original dû à Ivan Vitali

e tous les palais des environs de Saint-Pétersbourg, celui de Pavlovsk est le plus jeune. Le charme particulier de cette résidence s'explique par son histoire. Elle commença en 1777 lorsque Catherine II offrit le village de Pavlovskoïé à son fils, le grand-duc Paul, et à l'épouse de celui-ci, Maria Feodorovna, à l'occasion de la naissance de l'héritier du trône, le futur Alexandre Ier. Paul à son tour le remit entièrement à la disposition de son épouse, de sorte que Pavlovsk est entièrement lié à la mémoire de Maria Feodorovna.

Après la mort de Paul Ier, celle-ci s'installa définitivement à Pavlovsk, transformant le palais en véritable chef-d'œuvre d'architecture et l'entourant d'un parc à l'anglaise. L'ensemble fut créé par Charles Cameron : il comprend le palais lui-même, constitué de huit parties comprenant en tout trois cents salles, et le parc agrémenté de toutes sortes de pavillons. Les forêts avoisinantes, d'une superficie totale de 600 hectares, furent transformés en un superbe parc anglais, les parcs paysagers étant en vogue à l'époque. Le palais forme le noyau de l'ensemble. Il rappelle un palazzo italien et en même temps une gentilhommière russe. Le plan symétrique du palais évoque en effet les villas de Palladio. Il se dresse sur le sommet d'une colline surplombant la rivière Slavianka et s'aperçoit de loin.

Au temps de Maria Feodorovna, Pavlovsk fut la banlieue la plus célèbre de Saint-Pétersbourg, ceci non seulement grâce à ses beautés architecturales et à ses jardins, mais aussi grâce au salon littéraire fréquenté par les plus grands écrivains de l'époque. Maria Feodorovna ouvrit également à Pavlovsk plusieurs établissements scolaires, un hôpital et un asile. Après la mort de l'impératrice, le palais passa à son fils, le grand-duc Michel, qui décéda sans laiser.

Les nouveaux propriétaires – descendants du petit-fils de Maria Feodorovna, le grand-duc Constantin – possédèrent le palais jusqu'à la révolution de 1917. A partir de 1838, Pavlovsk fut relié à Saint-Pétersbourg par le premier chemin de fer en Russie. La salle de concerts près la gare devint le centre de la vie musicale de Saint-Pétersbourg.

A partir de 1918, le palais de Pavlovsk est un musée. Il a beaucoup souffert pendant la Seconde Guerre mondiale.

Pavlovsk. Le Grand Palais. Salle Grecque. Architectes Vincenzo Brenna. 1789 ; Andreï Voronikhine. 1803–1804

Pavlovsk. Le Grand Palais depuis le pont des Centaures. Architectes Charles Cameron. 1782–1786 ; Vincenzo Brenna. 1796–1799. Le pont des Centaures. Architecte Charles Cameron. 1799